JEAN LEMIRE

L'odyssée des illusions

25 ANS À PARCOURIR LA PLANÈTE

LES ÉDITIONS LA PRESSE

**Catalogage avant publication de Bibliothèque et Archives
nationales du Québec et Bibliothèque et Archives Canada**

Lemire, Jean
L'odyssée des illusions : 25 ans à parcourir la planète
ISBN 978-2-89705-502-8

1. Lemire, Jean - Voyages. 2. Sedna IV (Navire à voile).
3. Expéditions scientifiques. 4. Climat - Changements. I. Titre.

Q115.L45 2016   508.3   C2016-941806-5

Présidente : Caroline Jamet
Directeur de l'édition : Jean-François Bouchard
Directrice de la commercialisation : Sandrine Donkers
Responsable gestion de la production : Carla Menza
Communications : Marie-Pierre Hamel

Éditrice déléguée : Sylvie Latour
Conception graphique : Célia Provencher-Galarneau
Révision linguistique : Christine Dumazet
Correction d'épreuves : François Roberge
Photo de l'auteur en couverture : Caroline Underwood
Assistante/recherche photographique : Rachel Brousseau
Illustrations : Rémy Guenin

L'éditeur bénéficie du soutien de la Société de développement des
entreprises culturelles du Québec (SODEC) pour son programme
d'édition et pour ses activités de promotion.

L'éditeur remercie le gouvernement du Québec de l'aide financière
accordée à l'édition de cet ouvrage par l'entremise du Programme
de crédit d'impôt pour l'édition de livres, administré par la SODEC.

Nous reconnaissons l'aide financière du gouvernement du Canada
par l'entremise du Fonds du livre du Canada (FLC).

LES ÉDITIONS **LA PRESSE**
Les Éditions La Presse
750, boul. Saint-Laurent
Montréal (Québec)
H2Y 2Z4

À Loïc,
de Baba

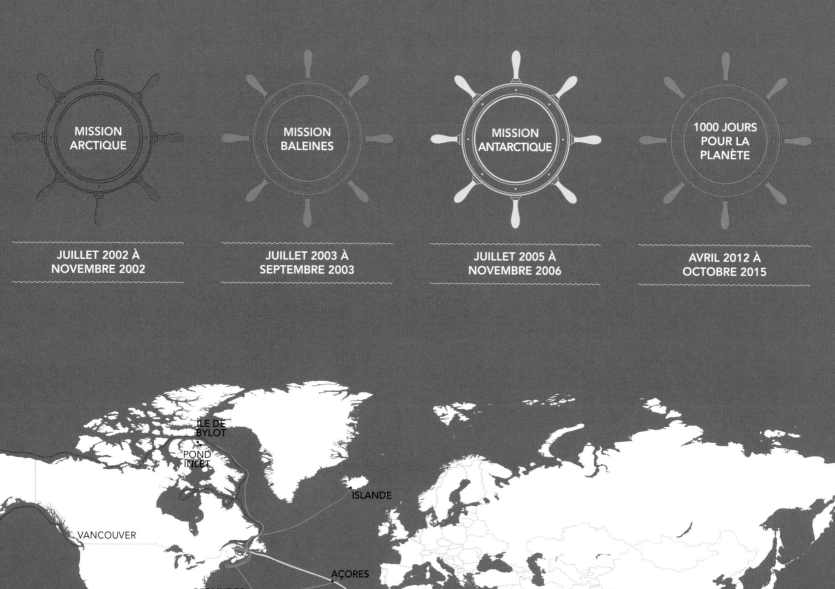

MISSION ARCTIQUE

JUILLET 2002 À NOVEMBRE 2002

MISSION BALEINES

JUILLET 2003 À SEPTEMBRE 2003

MISSION ANTARCTIQUE

JUILLET 2005 À NOVEMBRE 2006

1000 JOURS POUR LA PLANÈTE

AVRIL 2012 À OCTOBRE 2015

ÎLE DE BYLOT

POND INLET

ISLANDE

VANCOUVER

AÇORES

BERMUDES

ÎLES CAÏMAN

CAP-VERT

COSTA RICA

PANAMA

ÎLES GALAPAGOS

ÉQUATEUR

POLYNÉSIE FRANÇAISE

ÎLES DE LA RÉUNION

ÎLES SALOMON

BALI

ANUTA

CAPE TOWN

ROTHERA

TABLE DES MATIÈRES

PRÉFACE

« BONJOUR, ALEXANDRE TAILLEFER, ICI JEAN LEMIRE. J'AI UNE PROPOSITION À VOUS FAIRE. ACCEPTERIEZ-VOUS DE ME RENCONTRER ? »

C'est en ces mots que nous avons pris contact et que Jean m'a proposé, devant un verre de vin, de préfacer son dernier ouvrage. Il m'a parlé de valeurs et de visions similaires, de voyages, de tout ce qu'il a appris et gagné, mais aussi de tout ce qu'il a perdu. Il m'a avoué s'être pincé en imaginant un homme d'affaires accepter de préfacer un ouvrage comme celui que vous tenez entre les mains. J'ai en effet été surpris par cette demande, et flatté aussi. Mais j'ai surtout immédiatement senti une connexion entre moi et un autre homme blessé.

Jean Lemire est un explorateur qui a tout mis au service de son rêve d'étudier les océans afin de dresser un diagnostic visuel et scientifique de l'état du monde. Il a convaincu des centaines de personnes de l'accompagner, de le financer, de le diffuser. Il y a mis ses tripes, ses maisons, ses relations.

De retour parmi nous, Jean a entamé son plus important voyage, celui qui le mènerait au plus profond de son être : le voyage des bilans, des grandes questions existentielles. Ses conclusions sont au mieux mitigées, au pire pessimistes.

Jean, ce que tu as réalisé n'est rien de moins que spectaculaire. La prise de conscience que tu as suscitée chez des millions de personnes n'est pas vaine. Et ta conclusion est juste : l'avenir se doit de passer par une plus grande justice sociale et écologique. L'économie,

qui est au centre de nos vies, devra être sociale ou l'humanité ne sera plus. C'est à notre tour maintenant de t'aider à retrouver ton optimisme, de te démontrer que tes sacrifices n'ont pas été vains et que c'est grâce à des rêveurs, des fous, des artistes, des explorateurs, des utopistes que nous sommes en train de définir un nouveau modèle, avec en son centre le respect de l'autre et le respect de la planète.

Les rêves et les combats peuvent devenir plus forts que tout et laisser des cicatrices. Mais ce livre n'est pas ton testament : il est le résumé de tes vingt-cinq dernières années sur l'eau. À nous de tirer des leçons de tes conclusions, et surtout de prendre le relais pour te permettre de souffler un peu. Renaud a chanté : « C'est pas l'homme qui prend la mer, c'est la mer qui prend l'homme. » La mer ne t'a pas pris Jean, elle t'a emprunté. Et si l'insouciance et la négligence ont gagné une bataille, elles n'ont pas gagné la guerre.

Un nouveau chapitre commence, celui de l'action de chacun et de chacune d'entre nous. Il doit débuter dans la lucidité, mais aussi dans l'optimisme. Parce que nous n'avons simplement pas le choix. Faisons-nous la promesse d'être résilients. On a terriblement besoin de toi.

Alexandre Taillefer

AVANT-PROPOS

Un livre, c'est un formidable voyage dans les profondeurs de l'âme. Pour cet ouvrage, j'ai accepté de revivre les grandes escales de cette étrange odyssée, celle d'une vie, où j'ai souvent sombré en dérives et tangué sous le poids des réflexions sur l'avenir de l'humanité. Sur les différents continents de cette planète, j'ai sondé les grandes problématiques environnementales mondiales et cherché des réponses devant l'inconcevable et l'inexplicable. Confronté au constat douloureux et funeste de ce que nous infligeons à la nature, je me suis interrogé longuement sur les raisons profondes de notre insouciance, sur les motifs réels de notre indolence, sur notre insensibilité et notre désaffection volontaire devant ces transgressions préméditées au code de l'humanité. Les réponses ne sont pas toujours venues, mais cette recherche de vérité a alimenté une vaste réflexion livrée aujourd'hui dans les grands chapitres de ce livre.

J'ai accepté de laisser du temps au temps, afin de vivre le nécessaire recul des jours qui nourrit la pensée. Je n'aime pas parler de bilan, pas plus que je n'ose admettre que ce livre représente la fin de quelque chose. Je sais toutefois que l'avenir ne pourra s'inspirer du passé. Les années, les aventures et les difficiles constats ont créé une brèche dans les fondements de mes convictions. J'aurais pu me taire, pour ne pas nuire à ceux et celles qui nous croient sur la bonne voie, mais je ressentais ce besoin de témoigner, comme un devoir de vérité à partager avec le public fidèle qui a toujours suivi mes grands voyages.

Pour ce livre ouvert, je me suis inspiré des journaux de bord des différentes missions afin de revivre les étapes marquantes de ma vie. J'ai même emprunté des mots au passé, revisité certains textes, adapté certains passages quand ils traduisaient encore fidèlement une situation, un moment, un sentiment. J'ai voulu reproduire le plus exactement possible les émotions ressenties au moment où la vie et les aventures bousculaient mes idées et nourrissaient l'inévitable réflexion.

Enfin, j'aime à penser que je ne suis que le porteur des mots, celui qui avait pour tâche de décrire ce que tout l'équipage ressentait. Sans ces femmes et ces hommes qui ont aussi accepté de sacrifier une partie de leur vie à la cause, il n'y aurait jamais eu de missions, jamais eu de *SEDNA IV* et encore moins de films et de livres. Du plus profond de mon être, je les remercie pour leur dévouement et leur engagement.

Nous rapportons des dizaines de milliers de photos qui, pour la plupart, dormiront dans les coffres précieux de nos souvenirs. Je vous en propose quelques-unes ici, réalisées avec la complicité de nos photographes de passage, pour partager avec vous l'extraordinaire beauté du monde qui me touche et m'interpelle, encore et toujours. Puisse la beauté de ces images vous faire aimer cette nature, car on a souvent tendance à vouloir protéger ce que l'on aime. Ce livre aura alors peut-être réussi, en partie, à marquer le temps d'une urgence d'agir pour enfin protéger ce qu'il reste de nous.

Jean

PREMIÈRE PARTIE

L'appel du large

〜〜〜〜

LA SIMPLE BEAUTÉ DU MONDE
·
LE VOILIER

〜〜〜〜

LA SIMPLE BEAUTÉ DU MONDE

Le premier contact avec la mer

La première fois que j'ai vu la mer, j'ai été happé par un sentiment indescriptible, une sensation si puissante que cette rencontre avec la nature allait transformer à tout jamais ce que j'allais devenir. J'avais 19 ans ! Je sais, j'y suis venu sur le tard.

Après deux jours d'auto-stop sur les routes du Québec profond, je suis arrivé au village de Longue-Pointe-de-Mingan, sur la côte nord du golfe du Saint-Laurent. J'avais accumulé les kilomètres pour aller observer des macareux moines, une espèce d'oiseaux de mer aux allures de petit pingouin. Les oiseaux me fascinaient et je pouvais passer des heures, seul en forêt, à les observer. J'avais même décidé d'orienter ma carrière en devenir vers la biologie, subjugué dès mon jeune âge par la simple beauté du monde.

Confortablement installé sur la plage du petit village, je notais les déplacements de toutes les espèces d'oiseaux marins qui utilisaient le Saint-Laurent comme garde-manger naturel. J'étais ébahi de voir les fous de Bassan plonger comme des fusées dans les entrailles du grand fleuve pour capturer les poissons qui s'aventuraient trop près de la surface. Le spectacle de la nature m'enivrait, comme toujours, mais j'étais surtout fasciné et attiré par l'immensité qui s'offrait devant moi, devant ce bleu sans fin qui cachait derrière son horizon lointain tout ce que j'allais devenir.

Un homme est arrivé, il s'est assis près de moi et s'est mis à me parler de son coin de pays, de cette mer intérieure qu'il côtoyait tous les jours. Pour ne pas avoir l'air trop niais devant celui qui m'expliquait les harmonies de cette étendue d'eau à perte de vue, j'ai baragouiné des mots traduisant sans doute l'innocence, tellement j'étais sidéré devant si grand. Mon discours embrouillé sonnait certainement faux, mais j'étais sous le choc et sous le charme. Comme un coup de foudre. Comme une prémonition, une présomption, un doux présage qui m'annonçait, intérieurement, que ma vie venait de prendre une nouvelle voie. Une voie maritime, pour aller visiter l'au-delà, pour emprunter cette artère océanique qui menait ailleurs. Dès ce premier jour, je suis devenu un défenseur de la mer, celle que je ne connaissais pas, mais qui venait de me ravir sans prévenir.

On m'avait dit que la mer se perdait dans ma cour, aux arêtes de mon pays, sur les bordures sinueuses du majestueux golfe du Saint-Laurent, mais jamais je n'avais vu ce grand fleuve dans toute sa magnificence. Jamais je ne m'étais rendu compte que cette auto-route fluviale, la même qui longeait les rives de nos villes, pouvait se donner un goût de mer, un goût de sel, à force d'accumuler les milles, en descente vers le grand océan Atlantique.

Pour la première fois de ma vie, je pouvais perdre mon regard sur un horizon sans fin. Je pouvais étirer ce regard sans limites, sans paysage d'arrière-scène, sans référence et sans terre. Pour la toute première fois, je pouvais ressentir l'infini et comprendre, enfin, le sens réel de ce mot. Tout était là. Tout et rien à la fois. Un tout qui appelait indubitablement vers le large, invitation nouvelle à voguer désormais sur les flots de l'inconnu. Un rien aussi, puisque l'horizon n'était qu'infini néant, presque nu, mais que j'imaginais déjà riche et débordant à l'orée des perceptions. Un tout et un rien sans fin, pour le regard, pour le voyage, pour la quête, et peut-être même pour la fuite.

Qu'il est loin l'infini quand l'œil s'y perd ! Loin et si proche en même temps, quand il vient choir juste là, à mes pieds. Quelle est l'histoire de cette ondée qui vient mourir ici ? Que transporte-t-elle dans ses cellules ? D'où proviennent ces milliards de gouttes qui mouillent le sable ? Je fixais l'aller-retour incessant de ces vagues en échouage sur la plage, pour laisser à mon esprit tout le loisir de rêver. Redevenu gamin, j'inventais des chemins d'origine, des routes imaginaires, des parcours chimériques inspirés d'aventures. Les pieds dans le sable, comme un enfant, je m'évadais et voyageais.

La vague venait de là-bas, si loin. Bien plus loin que l'au-delà du regard. Elle avait peut-être déjà été froide et coulante, longeant les grandes fosses abyssales où se perdent en écho les complaintes lancinantes des baleines migratrices. Puis elle s'était sans doute réchauffée, pour remonter vers la lumière en transportant dans son sillage les nutriments de l'au-dessous. Participant au phénomène de la photosynthèse, cette vague avait donc joué un rôle dans la création de la vie, quelque part au large. C'était peut-être même à cette vague que l'on devait la naissance d'une algue microscopique, un simple phytoplancton, brouté par un krill, mangé par un petit poisson, lui-même capturé par un albatros revenant du cap Horn, au sud des Amériques. Sûrement un albatros hurleur, avec ses ailes de plus de trois mètres d'envergure, planant sans fin entre les déferlantes des quarantièmes rugissants ou des cinquantièmes hurlants. Un albatros qui, selon la tradition, transporte encore les âmes des marins perdus en mer. Ceux d'hier, qui ont connu l'abondance des mers, à une époque où l'Homme ne restreignait son carnage qu'en raison des limites de sa technologie. Ceux d'aujourd'hui, qui peinent à trouver leur maigre pitance dans les entrailles d'océans qui ne contiennent plus que les restes émiettés de nos abus. Les responsables savent pourtant qu'ils puisent directement dans les réservoirs de l'avenir. Les derniers grands poissons sont aussi les derniers géniteurs d'espèces. Des millénaires d'évolution, dans la chair prisée et blanche d'innocence. À chaque bouchée du dernier, le prédateur avale une partie de son histoire oubliée.

Tout ce plaidoyer en une seule goutte, dans un simple ressac, dans les vagues du golfe d'un petit faubourg océanique, un Saint-Laurent d'ici transportant en ses flots assagis les lamentations silencieuses d'une grande mer de là-bas. Qu'elle est vague cette fierté du legs laissé aux générations futures !

Tant d'histoires contenues dans chacune de ces gouttelettes. Tout cela était là, coulant à mes pieds, comme un livre sur le monde, comme une invitation à suivre la nouvelle vague. Chaque goutte réunie dans cette lame d'infini possédant son pouvoir d'influence sur le ciel, la terre, le climat, et donc sur la vie. Sans cette petite goutte, et sans les autres perles formant la vague, il n'y aurait rien : pas de nuages, qui s'abreuvent des océans et irriguent les terres ; pas de vie, telle que nous la connaissons, créée et adaptée à partir de cette eau ; pas de climat non plus, qui en dépend aussi, en redistribuant la chaleur équatoriale à travers un

réseau complexe de courants océaniques. Sans eau, sans mer maternelle, il n'y aurait rien. Tout était là, dans une simple goutte. Une goutte de vie.

En une vague, je venais de voir et de comprendre l'infini. J'étais jeune, mais il me restait toute la vie pour découvrir, pour répondre à l'appel du large, comme une grande déclaration faite sur l'inconnu, sur l'infini. Mon existence venait de basculer, et je l'imaginais déjà houleuse, avec ses hauts et ses bas, inévitable cycle quand on s'abandonne à la mystérieuse vastitude de toute une planète. Une vie faite d'inconnu, préoccupante, mais dévorante, comme tous les nouveaux largages qui nous propulsent vers l'ignoré, l'inexploré. Mais n'est-ce pas là le sort de toutes les vies ? Mes hauts et mes bas allaient dorénavant alterner au rythme de

la houle, douce chevauchée à la cadence naturelle d'une certaine mécanique ondulatoire.

La rencontre avec la mer ne fut pas seulement une découverte. Ce fut une renaissance. La mer venait de m'arracher à la terre et jamais plus je ne serais en mesure de ressentir le même bien-être sur le sol.

J'avais compris tout cela, dans la simple contemplation d'une vague, sur ce chemin d'eau, là où notre grand fleuve se donne des allures de mer. Une petite artère de banlieue océanique venait de me livrer son message, et elle m'invitait à la suivre. La découverte des océans sur les vaisseaux de la vie allait désormais devenir une mission, un devoir, un engagement pour la suite du monde : celui de protéger la vie. Celui de se protéger aussi.

Communiquer la science

J'ai passé une bonne partie de ma vie en mer, à étudier les baleines. Fasciné devant si grand et si imposant, j'ai sillonné les eaux du golfe et de l'estuaire du Saint-Laurent pour apprendre le métier de chercheur, sous la supervision d'un vieux loup de mer, Richard Sears, qui m'a tout montré. De la navigation par temps de brume jusqu'aux techniques photographiques pour identifier et répertorier chaque baleine, ce passionné des mers m'a fait découvrir et apprécier les derniers géants de la planète. Ma passion de jeune biologiste en herbe a ainsi vu le jour, quelque part au large d'une mer intérieure, et elle n'allait plus jamais me quitter.

C'était l'époque où, au Québec, il n'y avait pas encore d'industrie touristique vouée à l'observation des baleines. Nous étions des précurseurs et on nous regardait souvent étrangement quand nous partions loin, très loin au large, à bord de bateaux pneumatiques beaucoup trop petits pour l'ampleur de nos ambitions. Déjà à cette époque, il fallait tout investir pour toucher à ses rêves de jeunesse. La précarité évidente de nos embarcations témoignait de nos modestes moyens, mais c'est le cœur chargé d'une infaillible volonté de découverte que nous affrontions la mer et ses humeurs.

En ces temps, les villages riverains ressemblaient encore à des havres de paix où l'on «jiggait» la morue en famille, ramassait les milliers de capelans qui roulaient sur les plages de cette mer d'abondance et capturait le saumon en migration, quand il revenait près des embouchures de rivières qui l'avaient vu naître. Les traditions maritimes et le savoir-faire se perpétuaient ainsi, de génération en génération, legs précieux de nos racines qui avaient injecté dans les veines des habitants du grand fleuve une bonne dose d'eau salée.

Puis, les stocks de poissons ont diminué, victimes d'une surpêche causée par un appât du gain démesuré et des moyens technologiques de plus en plus performants. Notre désir d'accumuler toujours davantage, sans nous inquiéter de la pérennité des ressources, est venu piller le précieux héritage de nos prédécesseurs. Les grands géniteurs des espèces phares, celles sur lesquelles reposaient les bases de toute notre économie régionale, avaient été tellement exploités que

les stocks n'allaient plus jamais se remettre d'une pareille surpêche, fauchant du même coup des siècles de traditions. Sans métier à exercer, les jeunes ont été contraints d'abandonner les régions pour rejoindre les grands centres. Comme tant d'autres, j'ai assisté, triste et impuissant, à la transformation progressive des villages et à la perte graduelle des connaissances des métiers de la mer, qui représentaient pourtant la fierté de tout un peuple.

Cette catastrophe aurait pu être évitée, je le pense sincèrement. La science a failli à son devoir de prévention, et les grands décideurs n'ont jamais osé affronter les lobbyistes de l'industrie des pêches, qui faisaient pression sur les gouvernements pour conserver les emplois de cette industrie en perte de vitesse. Ce laxisme et cette pression insoutenable sur les stocks ont vidé les océans : 90 % des grands poissons ont ainsi disparu au cours des dernières décennies et le carnage se poursuit, loin au large, loin des regards.

Le syndrome de la surexploitation des ressources venait de faire une première victime, la mer, et je savais que les mêmes menaces planaient au-dessus des autres écosystèmes de la planète. Le désir de tout mettre en œuvre pour sensibiliser les populations aux dangers de l'exaction abusive des ressources allait donc naître d'un crime connu, d'un génocide planifié et assumé contre l'équilibre naturel précaire qui constituait les fondements mêmes de notre relation avec la nature. Dès lors, ma destinée était devenue une évidence.

Il fallait encore trouver le moyen d'atteindre le public, pour faire passer le message, pour communiquer au monde entier l'urgence d'agir en matière d'environnement. Nos travaux avec les baleines du Saint-Laurent avaient permis à notre petite station de recherche de faire sa marque sur la scène internationale. Des scientifiques de partout faisaient le long voyage jusqu'aux îles Mingan pour participer à nos recherches sur les grandes baleines. Un jour, un cinéaste de renom en visite dans l'archipel m'a demandé de le guider dans les grands groupes de baleines. Nous avions développé une technique d'approche qui permettait à nos embarcations pneumatiques de se faufiler, tout en douceur, au cœur des grands groupes de rorquals. Ce cinéaste avait un talent certain pour la caméra, mais ses connaissances sur les baleines étaient limitées. Je le guidais en lui désignant la direction des animaux, en m'improvisant réalisateur pour décider des angles et des points de vue. Je ne savais rien du métier de cinéaste, mais je pouvais anticiper chaque mouvement, chaque réaction des baleines que je suivais sur une base presque quotidienne, depuis déjà plusieurs années. J'ai rapidement compris l'extraordinaire véhicule médiatique que représentait le film pour toucher un vaste public. J'ai appelé un ami cinéaste et nous avons décidé de réaliser un film sur les baleines du Saint-Laurent. J'allais ainsi apprendre le métier et mettre mon expérience de spécialiste des baleines au service du septième art. Dès lors, ma nouvelle carrière était lancée.

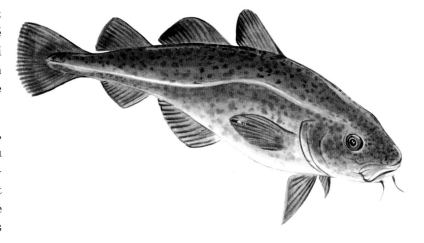

LE VOILIER

Et si on rêvait un peu...

Les films se sont succédé, et le désir de parcourir le monde s'est intensifié à chaque nouveau succès. J'étais encore sans le sou, mais la détermination et la passion me permettaient de rêver, un sentiment qui n'a pas de prix. J'ai toujours été rêveur, et je l'assume. J'ai aussi vite compris que nous sommes tous égaux quand vient le temps de rêver, peu importent nos moyens, notre rang ou notre classe sociale. Plusieurs disaient en riant que mes modestes avoirs allaient rapidement me ramener à la triste et inévitable réalité : j'étais condamné à trop petit, trop délicat et trop banal. Mais le rêve n'est pas un rêve s'il se contente de l'accessible.

J'imaginais un grand voilier, transformé en studio de télévision, qui allait nous permettre de naviguer sur les océans de la planète dans des conditions idéales. Un bateau capable de communiquer avec le public, en direct, pour aller toucher les jeunes dans les écoles du monde entier. Je savais déjà que l'avenir de la planète allait se jouer entre les mains de ces futurs dirigeants, ces élèves d'aujourd'hui qui allaient prendre le contrôle de notre destinée à l'aube d'une nouvelle société à définir. Je devais réussir à aller toucher ces décideurs de demain, pour leur montrer tout ce qui devait changer, pour leur permettre, à eux aussi, de rêver. Je ne l'ai jamais exprimé en termes clairs, de peur de provoquer une moquerie, mais mon rêve véritable était celui de changer le monde.

J'avançais dans la vie avec cette naïveté déconcertante, en caressant toujours cette ambition démesurée qui m'obsédait. Ce grand voilier, je l'ai imaginé, désiré, fantasmé pendant des années. Je l'ai attendu comme on attend sa promise. J'achetais des revues nautiques pour admirer les plus beaux yachts de la planète, mais je refermais rapidement le magazine à la vue des prix exigés pour ces machines de rêve. Puis un jour, une petite annonce allait transformer le cours de ma vie : un trois-mâts de 51 mètres, à la voilure aussi bleue que les vagues de la mer, était à vendre à un prix ridiculement élevé. De quoi tourner la page, pour de bon, sur toutes ces années d'espoir tant le prix demandé représentait plus que ce que j'allais être capable d'amasser en une vie entière. Cher, beaucoup trop cher. À tel point que je décidai de tenter le coup. Non, mais personne ne voudra payer pareille somme pour un vieux rafiot ! En réalité, il était parfait. Mais durant cette longue négociation d'achat, qui s'éternisa sur 18 mois, je lui ai trouvé tous les défauts du monde pour faire diminuer son prix.

Cet ancien chalutier construit en Allemagne par le réputé chantier Abeking et Rasmussen fut converti en voilier au début des années 1990 par un riche propriétaire qui appréciait la valeur de cette coque d'exception. Classé 36ᵉ sur la liste des meilleurs grands voiliers du monde par la célèbre revue nautique *Yachting World,* il représentait tout ce que mes rêves les plus fous avaient pu imaginer. Il ne restait qu'à trouver les sous...

Je savais que son propriétaire venait de se faire construire un nouveau voilier moderne et rêvait déjà à ses prochaines odyssées sur les mers du monde. Ils sont comme cela, les hommes de bateau, infidèles, toujours à la recherche d'une nouvelle conquête, d'une nouvelle aventure. J'allais me contenter de son ex, que j'allais chérir, pour le meilleur et pour le pire.

Pour y arriver, je devais toutefois vendre le rêve, convaincre les chaînes de télévision du monde que nous étions capables de réaliser une série d'envergure qui allait toucher un vaste public et sensibiliser la planète entière aux grands défis environnementaux

que nous devions relever, tous ensemble. J'avais passé les dernières années à étudier les impacts des changements climatiques, un sujet méconnu à l'époque. Les pronostics des scientifiques, peu nombreux à s'intéresser à ce phénomène, donnaient déjà froid dans le dos. Dans les studios de télévision, on se questionnait même sur la véracité des hypothèses avancées par les chercheurs. Pouvait-on réellement assister à une transformation fondamentale du climat dans un avenir rapproché, un bouleversement qui allait affecter tous les habitants de cette planète et modifier à tout jamais notre façon de consommer ? Notre dossier était étoffé, appuyé par des études scientifiques solides, et

je savais que l'humanité faisait face à l'un des plus importants défis de son histoire. Les changements climatiques seraient sous peu LE grand sujet de la science, et nos films devaient dévoiler cette crise mondiale en devenir. Le projet était ambitieux pour l'époque, mais nous avons su convaincre. Des chaînes de télévision prestigieuses ont finalement décidé de nous soutenir, une victoire qui allait consolider nos ambitions démesurées et nous permettre d'oser le rêve.

Je n'avais rien, si ce n'est une maison modeste qui appartenait aux banques. On demandait 6,5 millions de dollars américains pour le grand voilier, ce qui correspondait à près de 10 millions en dollars canadiens à l'époque. Mais j'avais vite compris que la valeur réelle d'un grand voilier n'est rien de plus que ce qu'un éventuel acheteur est prêt à payer. Après plus d'une année et demie de négociations ardues, d'histoires rocambolesques, de risques démesurés et de paris insensés, le propriétaire a finalement accepté notre prix, une fraction de ce qu'il demandait au départ, presque du mécénat pour nous permettre de toucher au rêve. Malgré tout, les banques refusaient toujours

d'y croire. Trop audacieux, trop fou. Les banquiers n'ont rien à faire d'un monde meilleur. Il m'a fallu convaincre des amis, des hommes d'affaires, des prêteurs et des investisseurs qui acceptaient de participer à l'aventure. Leur générosité a rendu le rêve possible.

Nous avons tout vendu, et même plus. Le 8 juillet 2001, le SEDNA IV, rebaptisé en l'honneur de la déesse inuite des océans, accostait au port de Cap-aux-Meules, aux îles de la Madeleine. Nous étions fiers. Fiers et sans le sou, comme toujours. Le grand voilier avait été chalutier dans une autre vie et avait participé au pillage des océans. Il allait dorénavant consacrer son existence à conscientiser les humains à l'importance de protéger et de respecter cette nature endeuillée. Ce trois-mâts allait devenir ma maison, puisque je n'avais plus rien. Peu importe. Je vivais mon rêve. Je vivais même dans mon rêve...

MISSION ARCTIQUE

La préparation au départ

Il fallait maintenant préparer le voilier pour sa première mission. La métamorphose du voilier dura près d'une année. Une véritable saga, une aventure qui en aurait découragé plus d'un, et qui aurait dû éteindre la flamme de nos aspirations, encore une fois confrontée à des embûches administratives. Mais notre détermination était inébranlable.

Plus que jamais, je sentais l'urgence de réussir. Nous devions, contre vents et marées, larguer les amarres qui nous retenaient ici, pour laisser derrière nous les contraintes et nous libérer de toutes ces chaînes qui emprisonnaient nos rêves. Nous devions joindre nos voix à celles des scientifiques pour montrer l'urgence d'agir, pour accumuler les preuves irréfutables des effets dévastateurs de nos insouciances.

Nous avions décidé de mettre le cap au nord. Les Inuits sont les premiers témoins des changements en cours et je voue à ce peuple une admiration sans bornes. Je voulais que notre première expédition serve de porte-voix efficace à ce peuple qui, mieux que quiconque, possède les références historiques et les connaissances pour témoigner des changements en cours.

En juillet 2002, après nous être soumis aux caprices des fonctionnaires, nous avons finalement quitté le petit port de Cap-aux-Meules, aux îles de la Madeleine, dans le but avoué de réaliser le passage du Nord-Ouest, cette route maritime légendaire qui relie l'Atlantique au Pacifique en traversant l'Arctique. En acceptant d'affronter les glaces du Nord, si meurtrières pour les explorateurs d'hier, nous nous lancions, incrédules et perplexes, dans le sillage des illustres glorieux d'une autre époque, sur cette route empruntée par beaucoup plus grands que nous. Le rêve allait-il devenir cauchemar à cause de nos ambitions chimériques ? Peut-être, mais jamais on ne pourrait nous accuser d'avoir reculé devant les obstacles titanesques pour réaliser notre rêve sincère, avoué et peut-être impossible de changer le monde.

L'intraitable banquise du Nord

Le golfe du Saint-Laurent s'offrait sous son plus beau jour. Ses vents constants portaient notre monture d'acier avec la grâce et la douceur des grandes allures océaniques. Tout semblait se conjuguer pour enfin libérer les tourments de nos abîmes intérieurs. Le soleil en déclin sur l'horizon laquait le ciel d'un spectaculaire dégradé de couleurs : le bleu dominant de la mer, le rouge et l'orangé d'un ciel en étiolement, et ce jaune perçant d'un astre déformé par un léger velum de brume d'été. Pour cette première nuit en devenir, la nature avait décidé de s'offrir en tableau d'harmonies, comme un soutien à la cause, une approbation céleste à cette mission démesurée.

Les baleines semblaient aussi appuyer notre quête. Elles s'étaient donné rendez-vous pour nous saluer. Les rorquals à bosse profitaient des dernières luisances du couchant et du lustre de l'écume créé par le passage de notre déesse des mers pour oser la rencontre entre deux espèces. Nous avons compté une quarantaine de baleines, curieuses, qui frôlaient notre voilier, comme pour s'offrir en spectacle. Je pouvais saluer mes amies une dernière fois, heureux de les voir s'empiffrer des richesses d'une mer d'ici que j'allais bientôt laisser en poupe.

Si les baleines avaient toujours occupé une très grande place dans ma vie, je trépignais d'impatience à l'idée de retrouver un autre mammifère marin qui me séduisait et me fascinait par ses extraordinaires qualités de prédateur : l'ours polaire. Pour l'observer, il fallait encore emprunter la mer du Labrador et remonter jusqu'au détroit d'Hudson, grand bras de mer qui mène à la baie du même nom. Je connaissais certaines îles isolées de ce secteur où le seigneur de l'Arctique aime se dissimuler pour mieux planifier ses attaques contre ses proies, principalement des phoques annelés qui profitent de la banquise en dérive pour se prélasser sous un soleil d'été devenu trop puissant.

Notre progression vers le nord allait bon train, jusqu'à ce que l'inévitable piège se referme sur nous. Il fallait s'y attendre, l'Arctique n'allait pas s'offrir sans résistance. Les champs de glace dérivante et les icebergs descendus du Groenland et des hautes latitudes arctiques se dressaient devant nous, formant un mur, une forteresse qui imposait le plus grand respect. À peine avions-nous quitté les frontières du Québec qu'elle était là, monumentale et menaçante, la légendaire banquise de l'Arctique, qui avait fait tant de naufrages, tant de victimes. Sur nos écrans radars, des champs de bataille à perte de vue s'affichaient, invitant *SEDNA* à la confrontation, comme un droit de passage obligé pour l'accès aux premiers échelons d'un long rêve à gravir. Nous ne pouvions détourner le regard devant si grand ou faire demi-tour en mettant le cap sur notre passé. Il fallait dorénavant assumer nos choix de vie. Il fallait donc forcer le passage et aller vers l'avant.

SEDNA se faufilait lentement entre les restants d'hiver et des icebergs hauts de 10 étages. Le son métallique des premiers impacts de la glace dérivante contre la coque d'acier donnait froid dans le dos. Une onde sourde et profonde, suivie d'une souffrance plus aiguë, comme une longue lamentation braillée par l'éraillement effrayant de la coque contre des fragments de banquise durs comme du béton.

Les vigies, installées dans les huniers à plus de 30 mètres de hauteur, surveillaient l'horizon à l'aide de puissantes lunettes d'approche, cherchant l'eau libre qui se faisait de plus en plus rare. Elles tentaient, tant bien que mal, de guider le grand voilier vers une avenue sans glace, une percée, un chemin, une route qui nous aurait permis de fuir vers le large. La fuite, encore une fois. Mais la résistance des éléments s'exprimait déjà avec un tel aplomb, une telle puissance que, devant si grand, si menaçant et effrayant, nous n'avions pas d'autre choix.

Cette glace en migration se vide de l'Arctique par la mer du Labrador, qu'il faudra remonter en empruntant la route du large, loin des champs de glace qui longent les côtes. Pour y arriver, il faudra tenter une percée à travers la banquise et affronter ces kilomètres de glace mouvante qui peut broyer les coques les plus résistantes. Ce ne sera pas aujourd'hui. Nous acceptons notre défaite devant plus fort que nous. Ce soir, nous battons en retraite, mais nous reviendrons, plus solides et plus motivés. Cette impressionnante nature nordique aura réussi à installer en nous une bonne dose de peur au ventre et un réel doute en tête. Elle nous aura donné une grande leçon d'humilité, pour nous rappeler que nous ne sommes que des intrus dans ce monde polaire que nous ne contrôlons pas.

Les cadavres du temps

L'attente était interminable. Ces nouveaux délais sur l'itinéraire prévu n'annonçaient rien de bon. Ce retard en début d'expédition risquait de mettre en péril la réussite du passage du Nord-Ouest, puisque nos objectifs de parcours avaient été calculés avec précision. Chaque étape, chaque cible de progression avait été planifiée pour respecter les données historiques sur les pronostics de l'installation de la banquise nouvelle. Nous savions que la fin de l'été arctique allait correspondre à la formation des premières glaces dans les hautes latitudes, et que notre bataille véritable allait être contre le temps. Devant ce retard imprévu, nous devions obligatoirement revoir nos règles et nos exhortations théoriques. Nous n'avions pas le choix, il fallait accepter de hausser notre niveau de risque si nous voulions avancer et rejoindre à temps le détroit de Béring, ultime étape avant la descente du Pacifique. Personne ne pouvait prédire l'état des glaces en octobre sous ces hautes latitudes, mais tous savaient que l'englacement définitif pouvait se jouer en quelques semaines, voire quelques jours à l'automne. La seule porte de sortie vers le sud pouvait se refermer sans prévenir, forçant un hivernage. *SEDNA* ne pourrait probablement pas supporter la pression d'une banquise mouvante et fatale. Il fallait donc repenser la stratégie et pousser davantage, progresser rapidement vers le nord en profitant de la clarté permanente des jours d'été pour nous donner toutes les chances d'attendre l'ouverture des glaces souhaitée en fin de parcours.

Nous avons levé l'ancre, installé des vigies aux huniers et avons osé, avec grande vigilance, l'affrontement inévitable avec la banquise. Nous avons apprivoisé les sombres résonances de la coque contre la glace, poussé

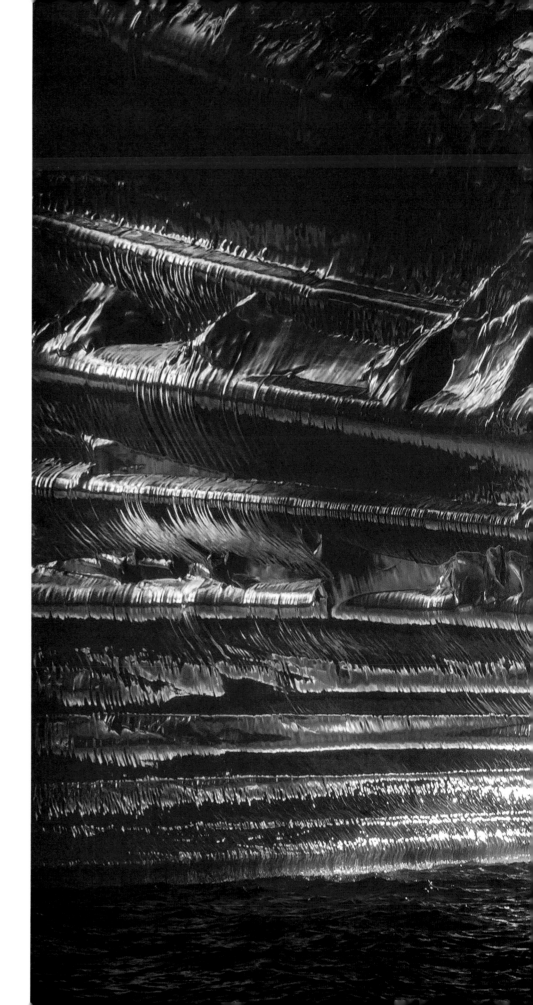

l'importance de la glace dans le respect des cycles vitaux qui ont forgé cet équilibre millénaire entre les espèces. Les territoires qui présentaient toujours de grands fragments de banquise dissimulaient encore quelques ours polaires en santé. Ils arrivaient à chasser leurs proies et résistaient aux transformations évidentes du territoire, mais pour combien de temps encore ?

Sur la majorité du territoire, là où la glace était déjà chose du passé, nous avons pu observer les effets dévastateurs des changements climatiques. Des ours affamés broutaient des algues échouées sur la rive pour remplir leurs estomacs vides depuis si longtemps ; d'autres arpentaient les sentiers rocailleux au pied des falaises aux oiseaux dans l'espoir de trouver les carcasses de guillemots ou de mouettes tridactyles tombées de leur nichoir à flanc de montagne ; et d'autres encore, plus téméraires, puisaient dans leurs réserves de gras pour oser de dangereuses agressions contre des colonies de morses affalés sur les plages. Ces lourds et puissants mammifères ne constituent pas des proies faciles pour les ours en chasse. Pour protéger leurs jeunes plus vulnérables, les morses attaquent, et leurs redoutables défenses infligent souvent aux ours trop audacieux des blessures qui peuvent s'avérer fatales.

doucement d'impressionnantes plaques pour créer nos propres ouvertures, pour finalement réussir à contourner cette banquise mouvante et menaçante. Le détour loin au large représentait la seule option possible.

Nous sommes allés rejoindre l'entrée du détroit d'Hudson, là où une autre muraille de glace nous attendait. Après une nouvelle bataille mémorable contre les glaces, nous avons pu atteindre la baie d'Hudson, cette mer intérieure qui s'offrait enfin à nous, belle, imposante, mais complètement libre de glace. C'est pourtant ici que nous aurions voulu voir la grande banquise.

Les populations d'ours polaires de ce secteur de l'Arctique peinent à trouver la nourriture essentielle à leur survie. Les printemps de plus en plus hâtifs font disparaître cette glace indispensable beaucoup plus tôt, beaucoup trop tôt. Nous avons assisté, impuissants, au triste destin de ces populations en déclin. Affamés, amaigris, les ours polaires n'arrivent plus à chasser le phoque annelé sur cette banquise rendue trop fragile par ce réchauffement qui est en train de transformer complètement le territoire. Nous les avons vus nager sur des kilomètres et des kilomètres, cherchant les restes d'une banquise qui aurait pu supporter un phoque au repos. Partout, nous avons pu constater

Devant tant de défis de survie, de plus en plus de cadavres d'ours polaires jonchent maintenant les plages de la baie d'Hudson, premier territoire arctique à subir les dérèglements d'un climat en déroute. Entre les corps faméliques de ceux qui n'avaient tout simplement plus la force de continuer et les victimes de blessures mortelles, les rives sont devenues les cimetières nouveaux pour ces seigneurs de l'Arctique.

Les ours polaires ne sont pas les seules victimes de ces bouleversements climatiques. Tous les animaux spécialistes de la glace souffrent et peinent à survivre devant les changements fondamentaux qui s'opèrent sous ces latitudes. La glace a toujours permis l'installation d'un écosystème riche où tout est relié. L'algue de glace devient l'aliment essentiel au petit plancton brouteur, qui attire à son tour les zooplanctons, puis les petits poissons. Ces derniers servent de nourriture aux oiseaux migrateurs, aux phoques, aux baleines. Cette concentration d'animaux attire les grands prédateurs, comme les ours polaires, qui trônent au sommet de cette chaîne de vie équilibrée et millénaire. La disparition rapide de la banquise brise ce cycle et ne permet plus à cet écosystème de sustenter les animaux qui dépendent de cette glace pour leur survie. Peu à peu, ils mourront, et d'autres espèces viendront les remplacer dans un nouvel écosystème qui ne sera plus caractérisé par la glace. Cette perte de biodiversité transformera complètement le visage de l'Arctique.

Avec cette augmentation fulgurante des températures, la délimitation virtuelle de l'Arctique monte de plus en plus rapidement vers le Nord. Déjà, certaines espèces de poisson du Sud, comme le capelan ou le lançon, ont transgressé les frontières et entrent en compétition avec certaines espèces résidentes, comme la morue arctique qui se fait de plus en plus rare. Rien ne va plus, et tout va trop vite.

La planète a toujours subi des changements de température dans son histoire. On parle d'un phénomène naturel qui a constamment affecté la vie sur cette planète. La problématique actuelle pose toutefois un défi jamais rencontré auparavant : la rapidité des changements en cours. Tellement précipité que la vie peine à s'adapter. Le processus d'adaptation des espèces est un phénomène lent, très lent. Or, la récente montée en flèche des températures dans les hautes latitudes ne laisse aucune chance d'adaptation aux espèces. Plus le mercure grimpera, plus ces espèces intimement liées à la glace disparaîtront. Les constats de décès seront d'abord signalés au sud de l'Arctique, mais l'épidémie progressera rapidement vers le nord, à mesure que l'inévitable réchauffement progressera.

L'Arctique n'est qu'une sentinelle de la planète, un avertisseur, un vaste laboratoire naturel qui permet de mesurer les effets dévastateurs de nos comportements, et qui prouve que rien ne va plus.

L'ultime combat

Nous avons laissé dans notre sillage les territoires du sud de l'Arctique pour poursuivre notre remontée vers le Nord. Dans ce secteur, les pronostics des scientifiques sur l'impact des changements climatiques sur les populations d'animaux spécialistes de la glace se confirment. Mais qu'en est-il au nord du Nord, là où la chaleur du court été arctique arrive à peine à faire fondre la banquise d'hiver ?

Nos confrontations avec les glaces dérivantes étaient maintenant pratiques courantes. Nous avions pris une certaine assurance, et notre progression suivait le calendrier planifié. Chaque jour, le Service canadien des glaces publiait une carte de la distribution et du mouvement des glaces, ce qui permettait à notre équipe de navigation de choisir les routes les plus sûres. Ces analyses n'annonçaient toutefois rien de bien rassurant. Le centre de l'Arctique demeurait sous l'emprise absolue de la banquise, et il n'y avait aucune autre issue possible. Pour rejoindre l'Arctique de l'Ouest, passage obligé pour déboucher finalement sur l'océan Pacifique, nous allions devoir affronter des kilomètres et des kilomètres de glace. Pour le moment, le passage était complètement bloqué, et même les brise-glace les plus puissants n'oseraient s'y aventurer. Nous étions en août, et tout pouvait encore changer rapidement.

Nous savions que le défi allait être colossal, que *SEDNA* ne pouvait briser cette vieille glace accumulée depuis quelques années, que seul le mouvement naturel des courants pouvait libérer un couloir vers notre rêve. Si nous voulions réaliser le passage du Nord-Ouest, il fallait encore avancer, jouer notre va-tout jusqu'aux limites des glaces, loin au nord, pour espérer cette petite ouverture qui allait permettre de se faufiler. Personne ne pouvait prédire les conditions de fin

d'été. Nous pouvions attendre des jours, voire des semaines, sans que rien bouge. Tout allait se décider là, à la limite de l'infranchissable, et rien, absolument rien ne garantissait la réussite de notre folle cavale.

Nous avons fait escale à Pond Inlet, sans doute l'un des plus beaux villages de l'Arctique, avec ses panoramas à couper le souffle. Ce pittoresque hameau est aussi appelé « Mittimatalik » en inuktitut. Situé à l'extrémité nord de l'île de Baffin, il représente l'embouchure orientale du passage du Nord-Ouest. En face du village, les montagnes et glaciers de l'île Bylot s'offrent en tableaux naturels saisissants, tandis qu'à l'est et à l'ouest des fjords majestueux s'ouvrent vers l'intérieur des terres, comme des artères de vie où foisonnent encore les narvals, mythiques licornes de mer sorties tout droit des légendes. Lors de notre passage, d'impressionnants icebergs trônaient fièrement dans le détroit d'Éclipse, comme des sculptures géantes façonnées par le temps. Tout était parfait.

Les cartes de la répartition des glaces montraient une ouverture possible vers le nord, jusqu'au petit détroit de Bellot, un bras de mer étroit, réputé pour ses courants puissants. S'il y avait un endroit où la glace pouvait permettre un passage éventuel, c'était là.

Il n'y avait plus de temps à perdre. Nous avons longé l'île de Devon jusqu'à la presqu'île de Beechey, lieu du premier hivernage de l'expédition Franklin, partie d'Angleterre en 1845 pour découvrir le passage du Nord-Ouest. Sur l'île, les corps de trois marins reposent en paix, premières victimes de cette fatale tentative. Franklin et ses 128 hommes d'équipage, embarqués sur les bombardes HMS *Erebus* et HMS *Terror*, ont péri de façon tragique, plus à l'ouest, près de l'île du Roi-Guillaume. Le froid, la famine, les maladies, y compris le scorbut et l'empoisonnement au plomb, auraient décimé l'expédition. Certaines analyses scientifiques ont démontré que des marques sur les os révélaient des traces de cannibalisme. Ils n'auront jamais franchi le passage du Nord-Ouest.

Nous avons rendu hommage à ces pionniers de l'exploration et avons poursuivi notre route vers le détroit de Bellot. Arrivés à destination, nous avons été contraints de mouiller l'ancre à l'entrée du canal. Devant nous, à perte de vue, que de la glace, compacte, empilée, que même les courants pourtant puissants du détroit n'arrivaient pas à déloger. Le temps commençait à jouer sérieusement contre nous. Septembre était déjà à nos portes et la perpétuelle lumière estivale était maintenant chose du passé. Nous perdions 13 minutes de lumière par jour et le mercure descendait régulièrement sous le point de congélation durant la nuit. Pour la première fois depuis le départ, nous envisagions des scénarios de retraite. Si l'ouest ne se dégageait pas rapidement, nous n'avions d'autre choix que de rentrer à la maison, faire demi-tour afin d'éviter l'emprisonnement sur le long chemin du retour. En contrepartie, si l'ouest venait à se dégager, il fallait encore rejoindre l'autre extrémité de l'Arctique sans que la glace se referme sur nous. Dans tous les cas, nous devions parcourir une grande distance pour simplement sortir de l'Arctique avant de rester prisonniers. Nous étions devant cette charnière géographique qui allait déterminer l'avancée ou le recul. Et la décision de continuer ou de battre en retraite devait se prendre sans délai.

Pendant une semaine, nous avons multiplié les missions de reconnaissance avec notre embarcation pneumatique pour suivre l'évolution de la situation. Rien à faire. Tout était encore bloqué dans le détroit. Puis, un message du Service canadien des glaces a eu l'effet d'une douche froide : la route que nous venions d'emprunter se refermait déjà et il y avait de l'inquiétude en haut lieu. Nous étions désormais engagés dans un sens unique et la seule option véritable pour sortir de l'Arctique était de réussir ce fameux passage du Nord-Ouest. Je n'aimais pas cette pression. Le moral des troupes était en baisse, tout comme le baromètre qui annonçait de forts vents.

Nous savions que si nous voulions progresser vers l'ouest, il fallait transgresser les limites que nous nous étions fixées. Il fallait nous lancer dans ce détroit

englacé et espérer que les vents et les courants, qui peuvent atteindre jusqu'à huit nœuds, feraient bouger cet amoncellement de glace. L'opération allait être risquée, sans aucun doute, mais l'attente devenait maintenant tout aussi hasardeuse.

Le 1er septembre, aux premières lueurs du jour, nous avons profité de l'étale des marées pour lancer *SEDNA* dans le détroit. Nous n'avions pas parcouru deux milles

NOUS SAVIONS QUE SI NOUS VOULIONS
PROGRESSER VERS L'OUEST, IL FALLAIT TRANSGRESSER
LES LIMITES QUE NOUS NOUS ÉTIONS FIXÉES.

nautiques qu'il fallait déjà battre en retraite... La tâche
était trop colossale, trop dangereuse, et nous avons
décidé de faire demi-tour. Pourtant, les vents d'est,
ceux que nous espérions depuis des jours, avaient
fortement soufflé. Ils auraient dû, en principe, frag-
menter ce bouchon de glace opaque. Il fallait attendre,
encore, impuissants devant l'infranchissable.

Une ultime réunion fut convoquée à la timonerie. Les
opinions divergeaient et des tensions étaient palpables
parmi l'équipage. En repassant une énième fois toutes
les possibilités, le signal d'un nouveau départ fut donné.
L'attente n'était plus une option.

Le personnel navigant prit position aux différents
postes d'observation, prêt pour l'extrême confrontation.
Au moment où nous allions lancer l'assaut, l'avion du
Service canadien des glaces survola une dernière fois
notre secteur. Leur rapport confirmait que le détroit
de Bellot était toujours complètement fermé, mais
que les vents avaient créé une ouverture d'eau libre
le long de la côte en Arctique de l'Ouest. Si nous
parvenions à franchir le détroit, un chemin se traçait
devant nous.

Dès le début de notre progression, des blocs de glace
immenses — ceux que nous nous étions juré de ne
jamais défier — vinrent s'appuyer contre la coque.
Jamais je n'oublierai le son de cette glace qui se frottait
contre les joues de notre voilier, caresses glaciales qui
provoquaient des montées de chaleur non désirées.
Le combat était féroce, et *SEDNA* s'immobilisait
contre la pression de ces kilomètres de glace qui fon-
çaient vers nous. Nous étions coincés, plus moyen
d'avancer. Et toujours cette banquise qui poursuivait
sa route vers notre voilier plutôt frêle devant les éléments. La situation devenait périlleuse. Pas le choix,
il fallait reculer, une manœuvre délicate puisque
l'hélice et le gouvernail seraient exposés à toute cette

glace qui se refermait rapidement derrière nous. Pas de temps à perdre. Stéphan, le capitaine, fit marche arrière doucement, puis avec le moteur d'étrave réorienta le voilier vers un autre secteur. Nous poussions la glace en utilisant toute la puissance du moteur principal.

Une brèche semblait vouloir se dessiner à tribord. Nous devions tenter une ultime poussée contre la glace qui crissait de plus en plus fort contre la coque. Nous avancions ! Le long des rives du détroit, une étroite veine d'eau s'était formée, un passage trop petit pour notre voilier, mais qui permettait de pousser les flots de glace légèrement dégagés. La victoire était maintenant possible. Le rêve devenait soudainement accessible.

Vers 18 h 30, ce 1er septembre, nous avons pu franchir avec succès le célèbre détroit de Bellot, résultat d'un effort collectif admirable. Devant nous s'ouvrait désormais l'Arctique de l'Ouest, que nous devions traverser rapidement avant d'entreprendre notre descente par le détroit de Béring, au sud de la Sibérie. Nous devions bien sûr compter sur notre bonne étoile pour franchir l'Arctique de l'Ouest à temps et espérer que l'énorme banquise dérivante ne reviendrait pas border la côte, refermant de façon dramatique la seule issue possible pour notre voilier. Pas le temps de savourer notre petite victoire. Pas une seconde à perdre, il fallait foncer vers l'ouest.

Le passage du Nord-Ouest

L' automne arctique était exceptionnellement doux, ce qui facilitait notre progression rapide vers l'ouest. Depuis quelques années déjà, la mer de Beaufort subissait de plein fouet les conséquences du réchauffement de la planète. Sur la terre ferme, les villageois se battaient contre l'érosion des sols et la montée rapide des mers, résultat d'un phénomène physique simple, l'expansion thermique. L'augmentation de la température de l'eau entraîne celle des volumes. Les océans, en se réchauffant, occupent donc plus d'espace, touchant inévitablement les régions côtières qui s'érodent sous la force des vagues en échouage.

Le sol réagit aussi devant cette chaleur nouvelle. Le pergélisol, comme son nom l'indique, devrait rester gelé en permanence. Or, il fond de plus en plus rapidement, ce qui a des conséquences pour toutes les infrastructures qui reposent sur de simples pilotis. Des villages entiers devront être déménagés, comme c'est le cas pour la petite communauté de Shishmaref, qui perd des mètres de rivage à chaque nouvelle tempête. Rien n'a été prévu pour une transformation aussi rapide du climat, ni les infrastructures, ni la localisation géographique des villages construits à proximité des rivages. Les coûts de ces relocalisations seront tout simplement astronomiques. L'urgence d'agir est manifeste, et nous ne pouvons que constater l'ampleur des conséquences à venir. On ne parle plus de sauver l'ours polaire ou de protéger les animaux qui dépendent de la glace. On doit maintenant aider ces Inuits qui dépendent de leur environnement pour survivre. Si la vie animale ne constitue pas un prix assez élevé pour engager le changement, pourrons-nous demeurer insensibles devant le sort tragique de ces humains qui n'ont pourtant pas contribué à ce phénomène climatique qui menace leurs habitudes de vie millénaires ?

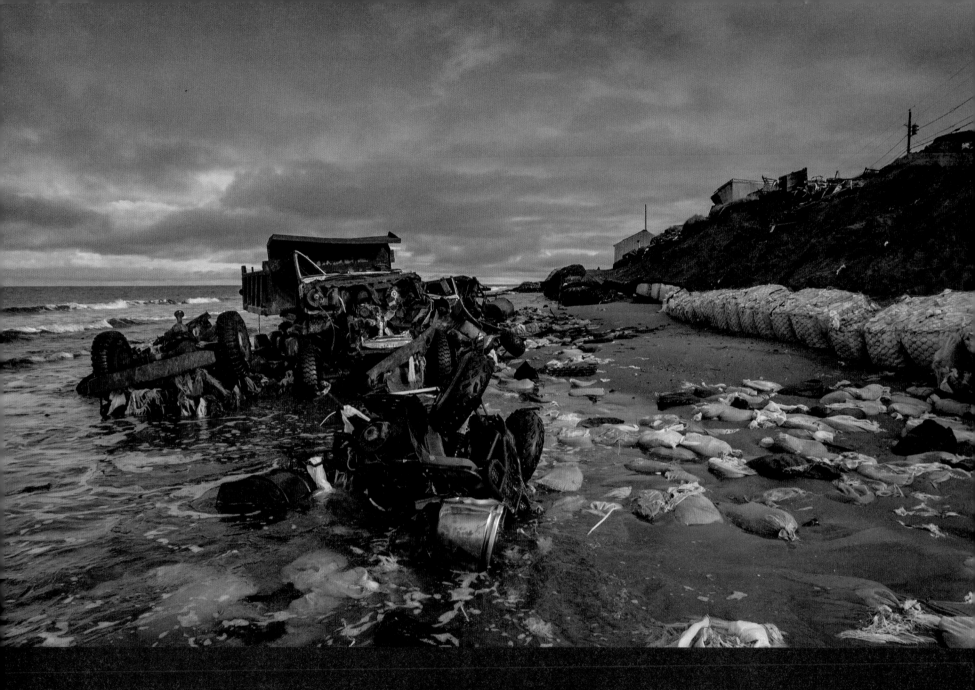

Nous avons franchi le détroit de Béring avec une certaine nostalgie. Nous avions réussi le grand défi fixé au départ. *SEDNA* venait de réaliser le passage du Nord-Ouest, sans hivernage ni assistance. À peine une demi-douzaine de voiliers avaient réussi l'exploit dans l'histoire de la navigation. Pourtant, la joie de cette réussite historique ne pouvait être complète, assombrie par ce lourd nuage d'inquiétudes qui planait au-dessus de ce territoire fragile. Nous laissions en poupe une terre et ses habitants que nous avions appris à aimer, à respecter. Comment traduire en mots et en images

cette sensation d'impuissance devant le sort de cet Arctique perturbé par nos activités au Sud ? Comment faire comprendre à la population que notre façon boulimique de consommer les ressources et les énergies fossiles de la planète a une incidence directe sur la vie au Nord ? Comment transmettre l'émotion, l'inquiétude et l'urgence de se mobiliser et d'agir ?

Les habitants du petit village de Shishmaref, en Alaska, tentent de faire obstacle aux vagues qui menacent leurs habitations.

La vie passe et l'empreinte de nos actes reste à tout jamais gravée sur le sol de cette terre empruntée. « Illunut », disent les Inuits. Regarde au fond de toi. Au-delà de la politique, de l'économie qui contrôle et trop souvent dirige cette politique, il y a l'humain derrière. Nous, tous ensemble, réunis pour faire face à l'une des problématiques environnementales les plus criantes, conscients de l'urgence d'agir, maintenant, localement, pour une solution globale et durable, pour un avenir juste un peu meilleur et certainement plus rassurant.

Nous avons atteint la ville de Vancouver le 15 novembre 2002, sous un ciel sombre et pesant. Mission accomplie, certes, mais la lourdeur des conclusions de notre expédition risquait d'obscurcir à tout jamais cet exploit bien relatif.

MISSION BALEINES

Dans le sillage des anciens baleiniers de Nantucket

Après une circumnavigation de l'Amérique du Nord, *SEDNA* est revenu aux îles de la Madeleine, au Québec, pour entreprendre sa nouvelle mission. En collaboration avec une équipe de scientifiques du New England Aquarium de Boston, nous avions le rêve un peu fou de reprendre la route des anciens baleiniers de Nantucket qui, au siècle dernier, sillonnaient l'Atlantique à la recherche des baleines noires, cette espèce prisée par toutes les flottes de chasseurs de baleines pour son huile et ses fanons. Cette baleine passe beaucoup de temps en surface, et ses lents déplacements facilitent les approches meurtrières. À cette époque, la chasse se faisait à partir de petites embarcations, lancées du navire amiral qui avait pour tâche de repérer les grandes concentrations de baleines. La baleine noire représentait une cible de choix pour les harponniers qui avaient mis au point une technique de capture efficace, mais périlleuse. Les hommes devaient ramer et positionner la barque tout près de la baleine à tuer. Un bon harponneur ratait rarement pareille occasion. Dès que les lames effilées du harpon pénétraient le corps de la baleine, elle réagissait à l'agression. La queue, puissante, tentait souvent de frapper l'embarcation des agresseurs. La baleine blessée essayait de fuir, mais les baleiniers savaient comment épuiser leur victime. Le cordage fixé au harpon était rapidement amarré à la petite embarcation, entraînée dans un remorquage fou et dangereux. On a baptisé cette folle chevauchée *Nantucket sleigh ride*, et il n'était pas rare de voir une embarcation se renverser sous les changements de cap rapides de la baleine blessée, dans ses tentatives d'évasion répétées. Cette funeste randonnée épuisait l'animal et les baleiniers profitaient de cette baisse d'énergie pour catapulter toujours plus de harpons meurtriers. Le poids des barques en dérive allait achever l'animal qui, exténué, n'était plus capable de combattre.

Les chasseurs d'hier ont presque complètement décimé la population de baleines noires de l'Atlantique Nord-Est. Au moment de quitter le petit port de Cap-aux-Meules, aux îles de la Madeleine, en 2003, il ne restait qu'un peu plus de 300 représentants de l'espèce.

L'équipe de scientifiques de l'aquarium de Boston connaît bien cette population. Leurs études des dernières décennies ont permis d'établir un arbre généalogique des derniers survivants de l'histoire grâce à des échantillons génétiques prélevés sur les individus qui fréquentent le secteur de la baie de Fundy, au Canada, et de Cape Cod, aux États-Unis.

Dans la baie de Fundy, nous avons accompagné des groupes de baleines noires en pleine séance de reproduction. Les femelles sont courtisées par des mâles qui se disputent une place de choix dans le groupe qui batifole en surface. *SEDNA* se faufile en douceur à proximité de cet attroupement d'une vingtaine d'individus avec une facilité déconcertante. Nous avons troqué les harpons pour des caméras, mais la simplicité des approches rappelle pourquoi elles ont succombé si facilement aux harpons de la honte, à une époque

où l'on croyait que les ressources de la mer étaient sans limites. Sans grandes difficultés, nous avons pu assister à cet impressionnant spectacle qui se déroule en surface. Les femelles, harcelées, se tournent régulièrement pour exposer leur ventre vers le ciel, privant ainsi les mâles excités de toute tentative de reproduction. En quelques heures d'observation, nous avions déjà toutes les images désirées pour ce chapitre d'introduction sur la baleine noire. Mais notre véritable expédition allait s'avérer beaucoup plus complexe, loin au large, dans un secteur où les populations de baleines noires ont été anéanties.

Nous voulions rejoindre les anciens territoires de chasse des baleiniers du siècle dernier, au large de l'Islande et du Groenland. Si les routes migratoires ancestrales de cette espèce étaient encore incrustées dans le patrimoine génétique de certains individus, nous avions peut-être des chances de trouver quelques baleines noires dans ce secteur. Il fallait tout tenter pour venir en aide à cette espèce qui, plus que toutes les autres espèces de baleines, souffrait encore de nos massacres d'hier.

Nous avons sillonné les eaux inhospitalières de l'Islande, dans le sillage des baleiniers de Nantucket. Pendant des semaines, nous avons scruté la surface de cet océan sans apercevoir une seule baleine noire. Les autres espèces étaient bien au rendez-vous : rorqual boréal, rorqual à bosse, rorqual commun, cachalot macrocéphale, et même quelques concentrations importantes de rorquals bleus, qui avaient permis de prélever des échantillons de peau et de gras qui serviraient à révéler les secrets de cette espèce. Mais

aucune baleine noire, malgré les efforts de recherche et les nombreux milles nautiques parcourus. Où était donc passée notre bonne étoile, celle qui, depuis le début de nos activités, guide nos expéditions et assure le succès de nos missions souvent trop ambitieuses ?

Puis, à l'horizon, loin au large, un souffle de forme arrondie attira immédiatement le regard des vigies en poste sur le pont du voilier. Elle était là, seule, comme perdue dans une mer au passé peu glorieux. Une baleine noire. Comme un mirage sur l'horizon grisâtre des jours qui se succédaient sans grande joie. Les semaines de recherche, les routes interminables par mauvais temps, les longs quarts de vigie bercés par une houle océanique souvent trop intense n'avaient qu'un but, qu'une obsession : trouver un représentant de l'espèce, une preuve, un indice de sa présence à ces hautes latitudes. Cette baleine mythique était là, tout près, et elle n'avait donc pas été un simple rêve de science. Oui, nous pouvions écrire un nouveau chapitre au grand livre de l'histoire moderne de cette espèce. On aurait pu comparer l'excitation du moment à la folie des troupes embarquées sur le *Péquod,* la baleinière lancée à la recherche du célèbre cachalot blanc, devenu une réelle monomanie pour le capitaine Achab, dans le célèbre roman de Herman Melville, *Moby Dick.*

Toute l'équipe fut mobilisée et nous avons rapidement lancé *MUSCULUS,* notre embarcation pneumatique vers la baleine mythique. Une arbalète munie d'une fléchette à dard creux allait permettre de prélever un échantillon de peau qui allait révéler l'histoire génétique de cette baleine. Contrairement aux habitudes de l'espèce, cette baleine refusait de se laisser approcher facilement. Il fallait donc gagner notre mention au chapitre de l'histoire. Des décennies de recherche permettaient aux scientifiques de connaître et de prévoir les tactiques de fuite de la baleine. Avec une anticipation étonnante, les chercheurs positionnaient

notre petite embarcation avec précision, calculant le chemin parcouru entre chaque longue plongée. Une simple erreur de cap aurait permis à la baleine de fuir, laissant ces semaines de travail sans grands résultats. Les scientifiques avaient su développer cet instinct de chasseur qui devait aussi guider les harponneurs d'hier. L'arbalète remplaçait aujourd'hui le harpon, et la baleine n'allait rien sentir, si ce n'est une légère sensation cutanée, comparable à une piqûre de moustique chez l'humain. Si la technique de chasse était comparable, l'intention derrière la démarche était fort différente. L'humanité essayait aujourd'hui de réparer ses erreurs du passé, et tous les efforts étaient déployés pour protéger les derniers spécimens de cette population de l'Atlantique Nord-Est, menacée de disparaître à tout jamais.

Après avoir évalué sa trajectoire probable, nous avons immobilisé notre bateau pneumatique et évité les chocs au plancher de l'embarcation qui auraient pu dévoiler notre position. Le lourd silence participait à la contraction du moment. Elle savait que nous la pourchassions et il fallait la surprendre lors de la sortie en surface suivante. La tension était palpable. La concentration, maximum. L'attente, interminable.

Elle est ressortie, loin devant. Trop loin pour tenter une autre approche qui l'aurait fait fuir encore davantage. Nous n'avons même pas démarré le moteur. Elle avait gagné une autre manche importante à ce jeu

IL FALLAIT TOUT TENTER POUR VENIR EN AIDE À CETTE ESPÈCE QUI, PLUS QUE TOUTES LES AUTRES ESPÈCES DE BALEINES, SOUFFRAIT ENCORE DE NOS MASSACRES D'HIER.

Rorqual boréal

de cache-cache, mais les chercheurs n'allaient pas déclarer forfait pour autant. L'enjeu était trop important. Les informations recueillies par l'analyse de ses gènes, stockés dans les cellules de ce minuscule échantillon de peau, allaient permettre d'élucider d'autres mystères sur la vie de cette population en péril. Nous avons attendu qu'elle plonge de nouveau avant de repositionner le bateau pneumatique, selon sa route qui était heureusement demeurée constante depuis des heures. Pour éviter d'être encore une fois situés derrière elle, nous avons parcouru une plus grande distance pour la surprendre lors de la remontée suivante.

Personne n'osait dire un mot, faire un son. Nous étions investis d'une mission et nous devions rentrer au *SEDNA* avec l'échantillon tant désiré. Le succès de notre mission reposait sur ce minuscule prélèvement de peau, sur cette biopsie qui allait gonfler le moral des troupes et faciliter la longue route du retour vers

la maison. Les images défilaient dans la tête de chaque scientifique en attente. Nous n'avions plus besoin de parler pour planifier l'ultime tentative d'approche. Des heures s'étaient écoulées depuis que nous avions aperçu son premier souffle contre l'horizon et nos nombreux essais infructueux avaient servi de bancs d'essai pour raffiner notre technique. Nous étions prêts.

Sans prévenir, une explosion a retenti, tout près. Son souffle est venu briser le silence, dans une détonation puissante et presque inespérée. Un fracas sur un horizon de quiétude, comme un signal de départ pour lancer la course, pour oser l'ultime confrontation. Elle était là, juste là. Imposante, majestueuse, presque solennelle.

Il fallait rapidement photo-identifier l'individu en immortalisant le patron de callosités situé au niveau de la tête de l'animal. Chaque baleine noire possède sur son rostre une série de proliférations cellulaires de la

peau, des structures rigides qui s'apparentent aux bois chez les cervidés. Le patron de répartition est unique à chaque animal et permet de les différencier.

Les photographes s'activaient. La baleine nous avait repérés. « Tout doux, rien à craindre, la belle, nous ne voulons que ton bien. » L'approche se fit tout en douceur, au son des appareils photo qui venaient d'immortaliser l'animal. Délicatement, nous plaçâmes l'embarcation pour l'ultime opération. L'arbalète fut chargée. Tout était prêt. Il fallait maintenant attendre que l'animal plonge, exposant son immense dos en cible au tireur. La baleine était nerveuse. Quelques mètres seulement nous séparaient, et elle le savait. Elle accéléra pour mieux fuir vers les profondeurs. Au moment où elle arquait le dos pour plonger, nous dégainâmes. La petite fléchette vola vers l'animal, comme suspendue dans les vapeurs brumeuses de cet air salin, mais bien alignée vers la cible mouvante. Le temps aussi semblait suspendu, comme le silence, comme nos attentes et nos espoirs. La fléchette flotta dans l'air et nous retenions notre souffle, peut-être par peur de créer la turbulence qui pourrait modifier la trajectoire de notre aiguillon d'espoir. Le tir était parfait. La fléchette frappa le dos de la baleine et rebondit. Un petit flotteur permettait à la flèche de rester en surface. Nous la récupérâmes. Le petit dard était rempli de l'échantillon de peau et de gras si précieux. Ce fut l'euphorie à bord du bateau pneumatique.

— SEDNA IV, SEDNA IV, *ici* MUSCULUS, MUSCULUS.

— MUSCULUS, *ici* SEDNA IV.

— *Mission accomplie ! Transmettez nos félicitations à tout l'équipage.* SEDNA IV, *préparez-vous à appareiller, nous rentrons à la maison !*

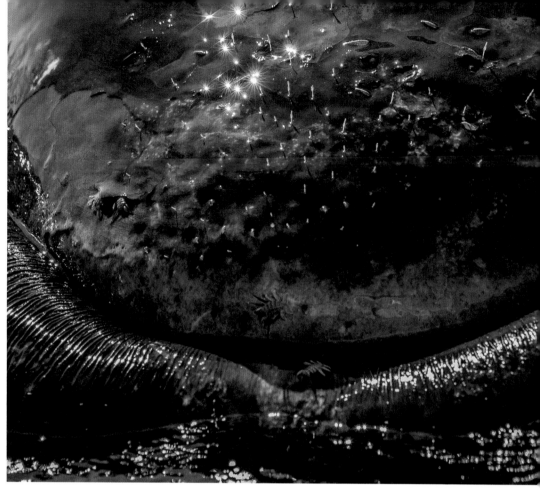

Les baleines sont des mammifères et possèdent encore des vestiges de poils. Une espèce de parasites, appelés poux de baleines, ne vit que sur la baleine noire. Si les populations de baleines noires disparaissent, cette espèce de poux disparaitra aussi…

ELLE SAVAIT QUE NOUS LA POURCHASSIONS ET IL FALLAIT LA SURPRENDRE LORS DE LA SORTIE EN SURFACE SUIVANTE.

Les missions parallèles

L es analyses génétiques de notre mystérieuse baleine noire ont permis aux scientifiques de l'identifier dans le grand arbre généalogique de l'espèce. Elle avait déjà été aperçue dans les aires de répartition connues des scientifiques, plus au sud, et sa présence au large des côtes de l'Islande était probablement un vestige comportemental des anciennes routes migratoires de cette espèce. Cette percée scientifique est considérable, mais elle révèle aussi l'importance de protéger les dernières baleines noires de la baie de Fundy, puisque les analyses génétiques n'ont pas révélé la présence d'une autre sous-population distincte qui aurait pu fréquenter le secteur de l'Islande.

Mes années de bourlingage en mer à traquer les baleines m'avaient investi d'une véritable mission parallèle. Obnubilé par ce désir de mieux connaître les routes de migration de ces nomades des océans, toutes espèces confondues, j'organisai plusieurs expéditions aux quatre coins de la planète pour essayer de comprendre leurs mouvements migratoires.

Après des années de recherche scientifique autour des îles d'Hawaï, j'ai rejoint le scientifique Fred Sharp en Alaska pour étudier les comportements d'alimentation des rorquals à bosse. J'ai aussi assisté à l'attaque organisée d'une famille d'épaulards contre un marsouin de Dall qui, exténué, tentait de trouver refuge contre la coque de notre bateau. J'ai eu le privilège de voir et de documenter cette technique de prédation coopérative où les parents montrent aux jeunes orques du groupe comment chasser. Dans la nature, le sacrifice des uns favorise inévitablement la survie des autres, selon les lois de la sélection naturelle.

Aux Açores, j'ai suivi les grands cachalots, photographié les dauphins dans leurs courses folles et participé au travail de recherche sur les routes migratoires des baleines bleues.

Au Mexique, j'ai traqué les rorquals bleus en mer de Cortez pour en apprendre toujours davantage sur le plus grand animal de tous les temps.

Les baleines bleues, comme les baleines noires, ont du mal à récupérer des abus d'hier. Plus que jamais, il était important de poursuivre la recherche scientifique afin de traverser le miroir et de découvrir ce qui se cachait sous la surface du Grand Bleu. Nous continuerions notre travail de collaboration avec les scientifiques de la planète pour tenter d'aider les espèces les plus vulnérables, pour percer les mystères qui entourent encore et toujours la vie de nos derniers géants. Mais il restait tellement à faire ! Les océans sont vastes et les moyens financiers limitent sans cesse nos ambitions. Dans un monde idéal, *SEDNA* devrait naviguer autour de la planète sans s'arrêter, pour amasser des données scientifiques et offrir aux scientifiques une plate-forme de recherche unique. Mais le rêve se heurte rapidement à la simple réalité économique. Il fallait de nouveau mettre fin à notre mission pour des raisons financières, et l'investissement devenait de plus en plus lourd à porter sur nos petites épaules de scientifiques.

Pour repartir, il faudrait écrire un nouveau projet, une nouvelle mission encore plus osée, pour intéresser les grands réseaux de télévision toujours à la recherche de sensationnalisme, d'aventures rocambolesques, d'odyssées risquées et d'indiscrétions. Il faudrait enfiler les masques d'aventuriers intrépides pour convaincre, encore une fois, que la prochaine mission serait la bonne, qu'elle serait unique, pleine de rebondissements et d'intrigues personnelles. Il faudrait accepter de jouer le jeu des diffuseurs, avec jugement et respect

DANS UN MONDE IDÉAL, *SEDNA*
DEVRAIT NAVIGUER AUTOUR DE LA
PLANÈTE SANS S'ARRÊTER, POUR
AMASSER DES DONNÉES SCIEN-
TIFIQUES ET OFFRIR AUX SCIENTI-
FIQUES UNE PLATE-FORME DE
RECHERCHE UNIQUE. MAIS LE
RÊVE SE HEURTE RAPIDEMENT À LA
SIMPLE RÉALITÉ ÉCONOMIQUE.

pour ce que nous sommes, si nous voulions poursuivre notre désir réel et profond de changer le monde. Car oui, même après quelques années de vaches maigres et des missions en poche, nous demeurions convaincus que nos rêves les plus fous avaient un impact réel sur le quotidien des gens, sur ce public qui suivait de plus en plus nos missions et qui adhérait à la cause.

J'avais bien une idée en tête, mais elle était peut-être trop osée. Un projet complètement fou, inspiré par notre mission arctique, quand les glaces en dérive nous avaient fait douter de nos capacités. Et si l'on osait un hivernage au cœur du dernier continent vierge de la planète ? Si on se laissait emprisonner par les glaces de l'Antarctique, séquestrer par le temps et l'hiver hostile, sans sauvetage possible ni rapatriement ? Si on mettait nos vies en jeu pour montrer l'urgence d'agir ? Si on se lançait sur ce grand chemin de doutes, dans une longue, très longue mission, où les membres d'équipage allaient inévitablement accepter d'emprunter des chemins intérieurs qui risquaient de changer leur vie à tout jamais ?

Une idée folle, dangereuse et risquée. Tellement délirante qu'elle a tout de suite plu aux grandes chaînes de télévision. Nous allions donc repartir !

MISSION ANTARCTIQUE

Larguer les amarres

Après deux années d'organisation, de préparation, de démarches multiples et de travaux importants pour affréter le voilier, le jour du départ était enfin à nos portes. Le moment tant attendu de larguer les amarres sur ce que nous étions, pour aller découvrir ce que nous souhaitions devenir, nous immobilisait, tant cette mission revêtait une part de risque importante. Mais nous ne pouvions plus reculer. Il fallait maintenant accepter d'abandonner familles et amis que nous aimions tant, terrible image à ressasser au cours des centaines de jours et de nuits à venir. Déchirante séparation pour aller chercher des réponses sur l'état de la planète, mais aussi sur ce que nous étions devenus. Pour les 15 mois suivants, il ne resterait d'eux que des photos, quelques mots lancés dans un univers virtuel et des souvenirs du temps passé ensemble, que notre cerveau aurait méticuleusement triés pour ne retenir que les plus beaux, les plus harmonieux et complices instants de vie commune qui réconforteraient les soubresauts de l'inévitable brisure.

Curieusement, l'étape la plus difficile n'était pas de franchir la ligne des au revoir. Nous avions connu pire, au moment où nous avions organisé notre fuite, aménageant notre refuge personnel à grand coup d'isolement imposé. Cette étape essentielle, mais

brutale, permettait aujourd'hui de transformer les lames de fond intérieures en simples ruisseaux d'eau salée mouillant le rivage de nos visages tournés vers les incertitudes de l'aventure.

Nous étions prêts à affronter le voyage et l'inconnu. Certes, le doute persistait encore et encore, éternel questionnement qui érode les fondements de notre conscience. Au-delà des apparences, l'armure du marin demeure fragile. Il faudrait braver, de façon régulière, les tempêtes du temps aux souvenirs bouleversants. Mais les marins ont appris à fuir. C'est d'ailleurs ce que nous faisons le mieux.

Le sort de la planète semblait étrangement lié au nôtre. Nous étions donc investis corps et esprits dans l'une des plus grandes expéditions des temps modernes, dans une exceptionnelle aventure humaine qui nous mènerait jusqu'au bout de la planète. Destination ultime : l'Antarctique, le dernier continent, le bout du monde. Nous acceptions de pousser les limites de notre voilier aux frontières des glaces éternelles, là où les eaux se referment sur toutes possibilités d'aller plus loin. Puis, sans trop savoir pourquoi, nous acceptions de franchir nos limites personnelles jusqu'à cette autre destination, plus intérieure, inexplorée, pour découvrir des repères de vie qui permettraient de reprendre contact avec l'instinct naturel sommeillant en nous. Vagues déferlantes des quarantièmes rugissants, cinquantièmes hurlants ou soixantièmes grondants, tangage provoqué par ces vagues profondes issues du désir de fouler les sentiers de notre propre solitude pour atteindre l'essence même de ce que nous étions. L'expédition discrète et ténébreuse de l'impénétrable en soi est souvent plus périlleuse que des sommets à gravir ou des océans hostiles. Ce périple outre-mer ne serait-il qu'un prétexte à la découverte de nos terres intérieures ? Le véritable voyage risquait donc de remettre en question le temps, celui qu'il faisait, certes, mais aussi celui qui passait.

C'était le moment de couper les ponts avec ce que nous étions devenus, avec ceux et celles que nous aimions, sans trop connaître les conséquences d'une telle décision. Nous larguions les amarres devant les mains tendues qui nous saluaient, malgré les remords et malgré tout. En tournant une dernière fois le regard vers ce port d'attache qui se détachait, notre vue s'embrouillait, noyée par des vagues douces amères au goût de mer qui coulaient sur nos joues. En dépit de l'incertitude et l'angoisse du moment, nous savions que nous avions fait le bon choix.

L'EXPÉDITION DISCRÈTE ET TÉNÉBREUSE DE L'IMPÉNÉTRABLE EN SOI EST SOUVENT PLUS PÉRILLEUSE QUE DES SOMMETS À GRAVIR OU DES OCÉANS HOSTILES.

Le quai des solitudes

Les amarres enfin libérées, il était temps de mettre le cap au large de nos vies. Les grandes voiles bleu azur se hissaient pour mieux capter un certain souffle. Qu'il était bon de retrouver l'air du large, avec ses effluves iodés et ses embruns ! L'océan renferme le sel de la vie, comme ces larmes qui perlent au jour de l'au revoir. Sur le quai des solitudes, les marins ne pleurent pas ce nouveau départ qui les nourrit. Ils partagent plutôt la peine de ceux et celles qui, sur une terre d'escale, acceptent de laisser aller les êtres chers, de les voir regagner leur mer d'origine.

Les voyages au bout du monde sont aussi des périples au bout de nos vies. Partir pour découvrir, c'est s'engager à fouler les sentiers de sa propre solitude. Car il est là, le véritable voyage. Intérieur. Profond. Troublant. Rapidement, on comprend que la destination n'est plus celle que l'on s'était fixée. La quête, bien plus que le but, devient alors sa destinée, sa destination réelle. La route, bien plus que l'achèvement, trace et modifie le parcours de l'âme, sans trop savoir pourquoi et comment. Le voyage ouvre la voie à la vie en devenir.

Les grands voyages sont souvent symboles de liberté dans l'imaginaire de ceux et celles qui observent de loin. Le regard pendu sur les trois mâts en dérive, ils ont parfois du mal à comprendre ce qui pousse les marins à rompre leurs racines, ces veines domestiques qui se faufilent dans les entrailles telluriques de leurs vies. Si l'aventure n'était que passagère, on dirait de ceux et celles qui s'en vont qu'ils expérimentent. Pourtant, la coutume des départs et l'appel incessant du grand large témoignent d'une véritable façon de vivre.

Pour ceux et celles qui restent, pour les tristes abandonnées du quai des solitudes, trop souvent, cela se limite à un besoin de fuir nos vies, êtres en quête d'une liberté qui outrepasse fréquemment l'obligation sociale pour nous d'être simples citoyens des terres. Et pourtant...

Pour le marin, la seule véritable liberté est celle qu'il projette, le regard perdu sur un horizon sans fin, quand la côte n'est plus qu'un vague filament à peine discernable sur l'infini. Une mince ligne, une hachure, un dernier linéament d'une civilisation en abandon. Voilà ce qu'il reste du marin lorsqu'il quitte le quai des solitudes pour retrouver la sienne. À ce moment précis, quand la terre des siens n'est plus qu'une simple strie d'horizon, le marin pose enfin le premier pas sur la route de la liberté.

Faut-il abandonner quelqu'un ou quelque chose pour se sentir libre ? Le renoncement est-il une condition essentielle à la liberté ?

Cette liberté tant recherchée demeure pourtant une notion toute relative, surtout sur un bateau. L'autarcie et la promiscuité sur un grand voilier en cavale sont souvent beaucoup plus contraignantes que les règles imposées par nos sociétés. Il n'y a rien de plus soumis qu'un équipage de navire, obéissant à des quarts de travail précis, dans un monde hiérarchique rempli de contraintes et de règles à suivre. Du chef de mission, en passant par le capitaine, le premier maître ou le marin, tous et toutes sont astreints à une discipline éprouvante qui devrait chasser, en principe, les fondements mêmes du concept de la liberté individuelle. Alors, pourquoi associer la vie de marin à cette notion de grande liberté ? Sans doute parce qu'il suffit de rejoindre le pont du voilier pour retrouver l'immensité des lieux, cette infinie vastitude qui en impose, peu importe où l'on porte le regard. Le ciel, la mer, l'horizon, tout est sans limites. Ici, tout est soumis aux aléas d'une nature souveraine. L'humain ne contrôle que ce qu'il peut, et non ce qu'il veut, exposant le marin à sa vulnérabilité, un sentiment qui ne doit jamais être oublié.

Au large, il n'y a plus que cette frêle monture qui ne représente qu'une pâle reproduction lilliputienne de ce que nos sociétés offrent en matière d'ancrage, de stabilité et de constance dans sa verticalité autant que dans son horizontalité. Dans nos villes, qui abritent plus de 50 % des habitants de cette planète, nous avons élevé des immeubles géants pour éclipser le ciel et dérober l'horizon. Nous avons dissimulé le sol sous un noir bitume pour araser les reliefs et dominer la terre. Dans nos villes, tout porte le sceau de l'homme : les odeurs, les couleurs, les textures et les sons. Ici, en mer, tout repose sur la nature : le vent, la météo, la vague et le silence.

Alors oui, le marin part, et repart. Pour trouver, et se retrouver. Pour savourer le goût suave d'une liberté toute relative, celle qu'il projette en laissant errer son regard sur cet infini. Mais quand ses repères auront quitté l'horizon, quand la dernière ligne de terre aura été engloutie par cette lointaine mer d'abandon, le marin larguera ses pensées vers ceux et celles qu'il aime et qu'il a laissés sur le quai des solitudes, comme une bouée lancée en sauvetage à son autre vie. Le sel de son être remontera alors, porté par les grandes marées intérieures passagères qu'on ne peut refouler, et qui embrouillent la vue de celui qui regarde vers hier. Mais le souffle du large aura vite séché ces larmes. Car les marins ne pleurent pas. Ils ne sont qu'embrassés au passage par le vent et le sel d'une mer de solitudes, quand leur regard porte trop vers la poupe. Tous les marins vous le diront, c'est vers la proue que le beau temps se dessine.

Malgré des années de bourlingage, le paradoxe demeure entier. À force de garder un pied à terre et l'autre en mer, le marin écartèle son âme en cherchant des réponses. Des réponses qui ne viendront peut-être jamais...

La longue route

La clémence d'Éole et de Neptune facilitait notre longue descente vers l'Antarctique. Toutes voiles dehors, nous engrangions les milles nautiques au rythme inespéré de plus de 200 par jour, selon une route bien planifiée qui tirait avantage des grands courants et des vents dominants. Nous avions quitté les limites océaniques de l'Amérique du Nord, rejoint l'Europe, courtisé les côtes de l'Afrique du Nord pour retraverser l'Atlantique et caboter vers les côtes de l'Amérique du Sud. Les langues et les cultures se succédaient, à bâbord ou à tribord, selon le rivage que nous longions. Nous avions laissé derrière nous un climat tempéré pour naviguer sous un climat tropical. Nous avions franchi l'équateur, changé d'hémisphère et les saisons étaient désormais inversées. Tout cela en un mois seulement. Pourtant, *SEDNA* n'avait rien d'un cheval de course !

Ce transit permettait un premier constat, inéluctable et éloquent : cette planète est toute petite ! Si nous pouvions communiquer cette simple notion fondamentale, nous pourrions déjà faire des gains considérables pour modifier nos décisions et nos comportements à l'échelle planétaire. Trop souvent, nous nous confinons dans une localité d'esprit et nous oublions à quel point tout est relié. Le climat mondial dépend des grands vents atmosphériques qui parcourent la Terre en passant par les pôles. Notre climat est également tributaire des courants océaniques qui circulent en Arctique et en Antarctique. Que l'on soit des Amériques, d'Europe ou d'Afrique, nous dépendons tous de l'Arctique et de l'Antarctique pour notre survie.

Nous devions effectuer une escale à Buenos Aires, en Argentine, pour parachever nos ententes avec l'armée locale qui allait assurer notre dernier ravitaillement avant l'hivernage. La marine argentine nous permettait d'utiliser une ancienne base militaire située sur la péninsule antarctique. Les petits bâtiments vétustes de la station scientifique de Melchior pouvaient toujours servir en cas de catastrophe. Il fallait prévoir tous les cas de figure, et l'abandon du voilier faisait aussi partie des scénarios tragiques. Le rapatriement des troupes était tout simplement impossible durant le long hiver, peu importe la gravité des épreuves qui pouvaient survenir. La distance séparant l'Amérique du Sud et la péninsule antarctique était trop grande pour permettre à un hélicoptère de sauvetage de rejoindre notre site d'hivernage. Sans piste d'atterris-

sage à proximité, il fallait aussi oublier l'avion. Nous allions être isolés pendant au moins neuf mois, et il fallait tout prévoir pour assurer notre complète autonomie. Quand le dernier brise-glace arriverait jusqu'à nous, nous serions seuls, confrontés à nous-mêmes, sans aide extérieure ni sauvetage possible.

Nous devions passer en revue toute la logistique de l'expédition durant cette dernière escale en société. Nous étions encore loin de l'Antarctique et ne connaissions pas encore les défis à vaincre, mais il fallait déjà planifier les principales étapes de notre hivernage. Pendant cette phase préparatoire, l'inexactitude n'était pas une option. Les décisions prises aujourd'hui allaient devenir vitales pour demain. Il fallait, par exemple, coordonner l'envoi de 24 tonnes de nour-

riture essentielle pour survivre l'hiver, planifier le transfert de dizaines de milliers de litres de carburant à partir d'un brise-glace, trouver un moyen pour remplacer certains médicaments de notre petit hôpital de fortune et faire comprendre à nos collaborateurs l'importance et la précision de chaque commande à remplir. Nous redoutions la corruption et la nonchalance pour chacune de ces actions. Notre survie allait dépendre de la qualité des services rendus par ces collaborateurs, et la moindre erreur pouvait s'avérer catastrophique.

Il fallait aussi organiser le rapatriement éventuel des membres d'équipage qui allaient décider de ne pas vivre l'hiver antarctique, d'abandonner le navire devant cette pression qui allait devenir notre pire ennemi. En ce début de mission, une majorité manifestait son

enthousiasme à relever ce défi ultime, mais il restait encore beaucoup de temps, beaucoup d'obstacles à surmonter, et seul le temps allait permettre de consolider cette équipe finale qui allait oser cet hivernage périlleux et risqué. La solitude, l'éloignement, l'insoutenable pression des familles laissées derrière nous et la promiscuité imposée allaient sans doute décourager certains marins. Même si nous étions encore loin du moment de décision, je savais que le temps allait agir sur le moral des troupes. Que les petits conflits à bord allaient prendre de l'ampleur, que l'incertitude pouvait fragiliser les êtres et que la patience et le devoir de compromis qui accompagnent toujours une expédition allaient se perdre au fil des mois, grugés par l'anxiété et le doute. Cette proximité sous pression risquait d'exacerber les situations les plus banales, jusqu'à dissiper les envies de poursuivre. Je pressentais déjà tout ça, et la réussite de l'entreprise reposait en grande partie sur notre degré de préparation, sur notre capacité de tout prévoir, de tout transposer, pour que les troupes soient parées à toutes les éventualités.

Je me souviens encore du regard sombre et inquiet des membres d'équipage quand nous avons dû aborder LA question qui allait semer le doute dans tous les esprits : et si la mort venait faucher des vies durant cet hivernage ? La question pouvait sembler cassante et cruelle, mais nous devions envisager cette hypothèse tragique pour préparer une réaction adéquate en cas de décès. Il fallait déjà établir une marche à suivre pensée et réfléchie, un mode d'emploi à appliquer quand l'émotion et la douleur d'une situation rendent difficile une action posée et efficace. L'hiver précédent, plusieurs Chiliens avaient perdu la vie sur une base d'hivernage, victimes d'une chute fatale dans une des nombreuses crevasses de glacier. La question devait donc être abordée, le protocole bien préparé, pour éviter la panique et l'improvisation devant une éventuelle tragédie.

Il fut décidé que nous allions rapatrier les corps, par respect pour les familles. Un congélateur, installé le plus loin possible du voilier, allait servir de dernier repos durant l'hivernage. Compte tenu des aléas du climat, il fallait prévoir une source d'alimentation électrique pour assurer la conservation. Malgré certaines réticences exprimées sur la nécessité de cet exercice hypothétique, le protocole d'action était désormais clair et établi.

Après avoir signé les différentes ententes de collaboration avec les autorités argentines, nous avons largué les amarres vers cette terre d'inconnus et d'angoisses, vers ce continent antarctique qui me paraissait plus grand encore, plus imposant et plus menaçant. Nous avions besoin de retrouver le vent du large pour aérer nos esprits perturbés par ces derniers jours de réflexion sur l'avenir de cette mission. Nos cœurs balançaient désormais au rythme des vagues des quarantièmes rugissants, puis des cinquantièmes hurlants, ces rebutantes latitudes pour le corps et l'esprit, qui manifestaient toute la puissance de cette mer inhospitalière semblant prendre un malin plaisir à confronter nos rêves. Était-il trop ambitieux de suivre la route des grands explorateurs d'hier, nous qui n'avions qu'une détermination à toute épreuve pour affronter le temps ?

Au large, sans repères et sans terres, le plafond instable et animé de ma cabine vint subtiliser le sommeil de ces nuits de doute. Je n'étais pas le seul à errer en songes éveillés. Même les marins les plus aguerris traînaillaient une sorte d'antagonisme intérieur qui influait sur le moral des troupes. Il fallait vite toucher terre, se mêler rapidement à la faune d'exception tant espérée des îles subantarctiques afin de retrouver la motivation nécessaire pour poursuivre la mission. La nature, dans toute sa splendeur, allait sans doute pourvoir nos âmes chancelantes de ce baume essentiel contre les plaies ouvertes de nos incertitudes. Si le doute est le compagnon obligatoire de l'évolution de nos consciences, il y a des jours où l'on aimerait rester sans questions sur les vicissitudes de l'être. Simplement, sereinement, pour dormir un peu...

Les îles subantarctiques

Le spectacle de la nature semble s'exprimer davantage et sans réserve quand on franchit les limites de la répartition géographique de l'humanité. Faut-il y voir un signe ? Dans les territoires où l'humain n'a pas encore exploité les ressources de la Terre, où il n'a pas encore exercé sa domination absolue sur le vivant, il existe une cohabitation harmonieuse entre les différentes formes de vie. La peur de l'autre n'existe pas et la curiosité réciproque entre les espèces dicte les comportements, comme de simples révérences amicales offertes à l'intrus. Pourquoi n'est-ce pas ainsi partout ? Comment avons-nous réussi à chasser et à anéantir les mammifères, oiseaux et autres espèces avec qui nous partageons ces terres ? Ailleurs, les espèces fuient dès que nous arrivons. Mais pas ici, pas sur les plages des îles Malouines ou encore dans les vallées surpeuplées d'animaux de l'île de Géorgie du Sud. Les manchots abondent, entre les éléphants de mer, les otaries à fourrure et les albatros en couvaison. Tout s'offre au regard dans une harmonie irréprochensible, accomplie, impeccable et parfaite.

Je suis venu ici pour retrouver cela. Après tout, j'ai décidé, un jour, de consacrer ma vie à la sauvegarde de la simple beauté du monde. Sans le savoir, ce jour-là, j'ai peut-être aussi résolu de me sauver moi-même, en acceptant d'emprunter les longues routes de la réflexion, essentiel chemin sinueux pour qui ne peut supporter simplement la fatalité d'un monde en perdition. Retrouver l'essentiel, dans la nature et dans mon âme en doute, est fondamental pour partager en images cette magnificence qui symbolise la symbiose entre les espèces. Quand je croise le regard curieux de mes semblables à poils et à plumes, je me sens bien, comme transporté à une époque où l'humain devait faire partie de cette harmonie naturelle.

Cette nature nous enseigne la mesure. En notre absence, elle s'équilibre et s'autocontrôle avec grâce et beauté.

En touchant terre, je me suis isolé pour m'imprégner de toutes ces beautés, pour retrouver l'essence même de cette mission. Pendant des heures, j'ai simplement partagé une certaine solitude avec ces animaux qui m'observent aussi, laissant les plus téméraires m'approcher, me toucher.

Devant la grandeur de ces petits êtres, j'ai senti poindre en moi une portion d'éternité, un moment qui me rappelle pourquoi je suis parti, pourquoi j'ai tout quitté, encore une fois. Je suis venu chercher ici ce que je poursuivais, dans ma tête et dans mon cœur. Voici le moment de lever l'ancre et les doutes, pour s'abandonner corps et âme vers ce dernier continent qui deviendra ma nouvelle terre d'accueil. Il est temps de hisser les voiles vers le plus important voyage de ma vie. Un voyage au bout du monde, au bout de moi. Je conserverai ces images de plénitude qui m'inspirent aujourd'hui. J'en aurai besoin, quand l'incertitude et l'ennui poindront au détour d'une baie, d'une montagne ou d'un iceberg, ou simplement dans cette nuit noire d'hiver interminable qui voudra assombrir, encore une fois, mes espoirs, ma volonté et sans doute mon sommeil. Je le sais maintenant, j'ai compris. Mes rêves les plus fous devront affronter le temps et combattre les doutes, encore et toujours. Mais plus que jamais, je suis prêt.

Le dernier continent

Nous avons passé le cap Horn et traversé le détroit de Drake, ce bras de mer qui sépare la pointe de l'Amérique du Sud et le continent antarctique. Dans les profondeurs innocentes de cette route maritime redoutée, véritable cimetière englouti sous des milliers de mètres d'eau, gisent encore les carcasses des navires d'hier. Les albatros nous attendaient ici, à la fin du monde. On dit qu'ils sont les âmes oubliées des marins décédés, qui volent pour l'éternité dans l'ultime fracture des vents antarctiques.

Après cinq jours de navigation parfois périlleuse entre deux continents, nous y étions, enfin! L'Antarctique. Les paysages majestueux se succédaient sans fin et ils touchaient droit au cœur, comme des appels au silence et au recueillement. Les montagnes, augustes et solennelles, s'élevaient comme autant de sculptures naturelles qui unifient la terre et le ciel.

Les glaciers aussi en imposaient, représentant la mémoire de notre planète, puissants témoignages gravés depuis des millions d'années. Le grand livre du climat était là, rédigé dans une langue givrée, avec ses variations, ses périodes, ses anomalies. Personne ne pouvait remettre en doute les archives du temps.

Les impressionnants icebergs flottaient entre les restes d'une banquise que le chaud soleil de l'été austral avait fracturée. *SEDNA* cherchait souvent l'eau libre pour se faufiler vers le sud, mais notre voilier s'intégrait parfaitement dans la fresque antarctique. Les voiles bleu azur se mariaient au ciel, et mes yeux ne cessaient d'emmagasiner des images qu'il ne faudrait jamais oublier. Jamais.

Pendant près de quatre mois, nous avons sillonné les routes englacées des plus célèbres explorateurs d'hier. Profitant d'un été austral particulièrement chaud, nous avons même poussé l'exploration jusqu'aux frontières de la glace éternelle, loin au sud, bien au-delà des exploits réalisés par d'autres voiliers canadiens auparavant. Je ressens parfois ce besoin de repousser toujours davantage les bornes. J'aime toucher aux limites personnelles, celles qui justifient l'inexplicable quête intérieure. Mais il m'arrive aussi d'aller trop loin, surtout avec les obstacles de l'exploration, qui obligent bien souvent à se mesurer à la mort et à la force des éléments, cette force qui peut à tout instant faucher une vie, sentence fatale pour celui qui a su convaincre ses coéquipiers d'aller toucher aux frontières du temps. Cette fois, motivés par une espèce d'adrénaline quasi incontrôlable, nous sommes allés loin, jusqu'à ce qu'il n'y ait plus d'eau libre, jusqu'aux lisières de l'extrême.

Nous avons progressé jusqu'à ce que la banquise se referme sur nous, jusqu'à ce que l'horizon ne soit plus qu'une étendue blanche et infinie. Le moment était venu de nous arrêter, de retrouver cette humilité essentielle devant la force des éléments. Nous n'avions rien à prouver et il fallait encore faire demi-tour, rebrousser chemin pour affronter de nouveau ces champs de glace en mouvement qui pouvaient nous emprisonner à tout instant. Malgré le risque évident, l'instant était presque solennel. Tout paraissait suspendu, figé dans cet environnement hostile et paradisiaque à la fois. Tout était parfait, immobile et sans fin.

Le vent aussi semblait au repos, mais il pouvait se lever sans prévenir et remettre en mouvement cette banquise qui, facilement, pouvait nous séquestrer et compromettre la sécurité des troupes. En cas de pépin, il n'y avait rien ici, pas de brise-glace à proximité, pas de sauvetage possible.

Nous étions fiers. Nous avions touché à quelque chose d'intangible, d'indescriptible, au sud du Sud, au seuil de nos capacités. Il fallait maintenant fixer les limites de la quête pour éviter de transformer une situation de réjouissances en cauchemar d'obsessions. Nous avons calmé nos ardeurs d'aventuriers et avons entrepris le long chemin de retour vers notre futur site d'hivernage. Il y avait encore tant à faire avant d'immobiliser le voilier. Il y avait aussi tellement de questions à poser à nos âmes hésitantes avant d'aller nous perdre dans les sombres couloirs de ce que nous sommes. Qui allait rester ? Qui allait partir ? L'heure était venue de poser LA question aux membres d'équipage, toujours en réflexion.

LES PAYSAGES MAJESTUEUX SE SUCCÉDAIENT SANS FIN ET ILS TOUCHAIENT DROIT AU CŒUR, COMME DES APPELS AU SILENCE ET AU RECUEILLEMENT.

Mario Cyr, notre cinéaste sous-marin, filme la présence de ce rorqual à bosse curieux. L'absence de glace a prolongé la présence des baleines dans notre secteur. Elles doivent normalement quitter le territoire avant l'installation de la banquise hivernale.

La préparation à l'hivernage

La station scientifique de Melchior nous attendait, avec ses bâtiments perchés sur un cap de roc qui surplombait la minuscule baie où *SEDNA* allait élire domicile pour l'hiver. La taille de ce couloir d'eau me laissait déjà perplexe : une centaine de mètres de long sur environ 40 mètres de large. Notre voilier faisait 51 mètres de longueur sur 8 mètres de largeur. Il n'allait pas rester beaucoup de marge de manœuvre en cas de situation critique. Pour ajouter au défi, un récif rocailleux à fleur d'eau avançait jusqu'à l'entrée de la baie. Cette structure naturelle devait empêcher les icebergs de pénétrer dans la baie, mais elle allait rapidement devenir un cauchemar en cas de départ en catastrophe.

Lentement, nous avons reculé le voilier dans la baie. La manœuvre était délicate, et l'assistance des embarcations pneumatiques, transformées en remorqueurs d'occasion, a permis de positionner *SEDNA* selon les plans prévus. De longues tiges d'acier trempé ont été insérées dans le roc et allaient servir de bittes de mouillage. En plus des amarres surdimensionnées que nous avions doublées, nous avons ajouté plusieurs câbles d'acier pour parer aux tempêtes. Il n'y avait aucune marge de manœuvre. À peine 15 mètres d'eau séparaient *SEDNA* du rivage, autant à bâbord qu'à tribord. Notre voilier était maintenant dans une position sûre, prêt à affronter le long hiver antarctique.

Entre-temps, les décisions avaient été prises et, sans surprise, plusieurs membres d'équipage avaient choisi de quitter le navire, de rentrer à la maison. Normal, ils avaient déjà beaucoup donné à cette mission depuis le départ. Six mois de solitude et d'isolement, de défis relevés avec brio. Les nouvelles recrues étaient en route et il était important de les accueillir avec une grande ouverture d'esprit. Quand il ne resterait plus que nous pour faire face à la claustration étouffante de la nuit antarctique, nous ne pourrions renvoyer les candidats choisis à distance, même si les compatibilités de caractère ou les compétences s'avéraient défaillantes. Il fallait nous préparer à accepter les personnalités de chacun et chacune, sans autres options, sans porte de sortie. Il allait devenir important de les intégrer dans notre grande famille et nous devions oublier rapidement ceux et celles qui allaient partir, malgré les liens d'amitié qui nous unissaient. Il n'y aurait plus que 13 membres d'équipage pour affronter la longue nuit australe qui ne saurait tarder. Nous perdions déjà près d'une heure de clarté par semaine.

On nous avait informés que le brise-glace argentin aurait du retard. L'avion B-52 de l'armée argentine qui devait transporter notre relève jusqu'à une base éloignée de l'Antarctique avait perdu un hublot lors de son transit vers le dernier continent et avait dû faire demi-tour. Rassurant... Dès que l'avion rejoindrait le brise-glace, nos nouveaux membres d'équipage prendraient place à bord et effectueraient le long voyage pour rapatrier les scientifiques des différentes bases de recherche avant que l'hiver n'englace l'Antarctique. L'arrivée de forces fraîches viendrait sans doute insuffler une énergie bienvenue au sein des troupes. Nous en avions besoin. Les conséquences de notre immobilité récente se faisaient déjà sentir, et nous n'étions qu'aux premiers jours de cette longue détention volontaire. Nous étions dans une prison intérieure, sans barreaux, certes, mais sans recours et sans secours. Il fallait en trouver rapidement les clés si nous voulions survivre à ces neuf mois d'isolement. L'hiver s'installait graduellement, dans le doute, la méfiance et une certaine appréhension.

Le changement d'équipage

Il pleuvait des cordes, ce qui masquait le flot incessant de larmes qui accompagnait le départ de nos complices d'aventure. Nos cœurs se sont arrêtés de battre un instant quand le sillage du brise-glace s'est lentement effacé sur la surface d'une mer noire comme la nuit. Nous savions que la fin des options était arrivée, qu'il n'y aurait plus que nous pour affronter la solitude et l'isolement, seuls à combattre le temps.

Les nouveaux semblaient légèrement déstabilisés, mais ils étaient motivés. Peut-être un peu trop d'ailleurs. Nous avions notre rythme, nos habitudes, et cette énergie débordante était accaparante pour nous qui étions habitués à une relative solitude. Pour eux, c'était une arrivée. Pour nous, c'était surtout un départ. Ils ressentaient probablement cette lourdeur manifeste dans nos sourires un peu forcés. Nous vivions le deuil de ceux et celles qui venaient de prendre le bateau de la dernière chance, celui qui allait les ramener vers la société. Nous laissions des amis précieux qui avaient partagé nos joies, nos rires, nos peines et nos angoisses. Il n'y avait pas de mots pour décrire la perte de ces complices d'aventure.

Isolés du reste du monde depuis maintenant six mois, nous rêvions souvent à certains instants de notre quotidien d'avant, des gestes du passé d'une banalité presque proscrite ici. Les nouveaux venus savaient cela. Alors, quand ils sortirent de leurs bagages des journaux qui dataient de presque un mois, ce fut un pur moment de grâce. Notre modeste bande passante ne permettait pas de surfer sur Internet. Les publications débarquées représentaient un lien concret avec notre monde. Ce qui était de vieilles nouvelles pour eux devenait de l'actualité pour nous. J'ai épluché chaque ligne du journal, des petites annonces à la rubrique nécrologique. Le matin, au petit déjeuner, installé devant nos lampes de luminothérapie, je m'amusais à lire à haute voix des passages, soulignant même les rabais de la circulaire sur les légumes de saison. Ah, la laitue, les tomates, les herbes fraîches. J'en rêvais !

Nous avions reçu les 24 tonnes de nourriture qui allaient nous permettre de tenir tout l'hiver, mais aucun produit frais n'avait fait le voyage. Notre liste d'épicerie avait été envoyée par courriel à un fournisseur chilien qui devait charger les victuailles dans les entrepôts frigorifiés d'un brise-glace. Il a mis près d'un mois avant d'arriver ici. Au moment de vérifier la commande, nous étions abasourdis devant les conséquences à venir de certaines erreurs de la liste. Nous avions demandé 200 kg de tomates en conserve. À la place, on nous avait envoyé 200 kg de pâte de tomates ! Et que dire des 14 gigots d'agneau espérés ? Nous avions plutôt reçu 14 agneaux complets, non dépecés, qu'il fallut découper grossièrement à la scie...

Nous avions prévu aussi quelques gâteries pour l'équipage. Le maïs soufflé allait recréer l'ambiance des soirées cinéma le vendredi. Bon, je ne l'ai jamais dit aux autres, mais les paquets étaient infestés de petites bestioles pas très ragoûtantes ! Nous aurions

dû jeter la cargaison, mais quelles auraient été les conséquences d'une telle privation sur le moral des troupes ? En complicité avec Pascale, j'ai décrété que nous serions les seuls responsables de la cuisson du maïs, refusant toute offre généreuse de collaboration aux cuisines. Au contact de l'huile chaude, les carcasses de nos petits amis d'infortune remontaient à la surface, ce qui permettait d'écumer facilement le liquide avant que n'éclatent les petites parcelles de bonheur. Un peu de sel et voilà ! Les vendredis cinéma n'auraient jamais été aussi populaires sans le traditionnel *pop-corn*, délicieux d'ailleurs, mais peut-être un peu plus nutritif qu'à l'habitude...

Nous avions un sérieux problème d'entreposage. La dizaine de grands congélateurs étaient pleins à ras bord et il y avait encore quelques tonnes de nourriture surgelée à stocker. Pour remédier à la situation, nous avions décidé de creuser d'immenses caveaux à même le glacier. Avec le froid à nos portes, ces congélateurs naturels allaient permettre de conserver viandes et légumes vitaux pour l'hivernage.

Nous avions construit un imposant pont suspendu pour relier le voilier à la berge. Les températures d'automne étaient étonnamment élevées et la pluie, inhabituelle ici, commençait à nous inquiéter. Nos scientifiques avaient enregistré plus de 5 °C au-dessus des normales de saison ! Les vents chauds du nord, ceux qui transportent la chaleur des villes lointaines, soufflaient de plus en plus sur nos espoirs de voir enfin la banquise stabiliser notre site d'hivernage. Il faisait chaud, trop chaud, et les rafales violentes faisaient valser dangereusement notre voilier au bout de ses cordages. Où était donc cette banquise promise, que tous les spécialistes consultés avaient pourtant prévue ? Dans cette baie devenue trop petite, nous risquions l'échouage à chaque nouvelle tempête. Nous avions doublé, voire triplé certaines amarres

pour plus de sécurité, mais les tempêtes se succédaient sans relâche, menaçant ainsi nos espérances et nos convictions. Les vents dépassaient régulièrement les 100 km/h, et les prévisions météo n'annonçaient rien de bon pour les jours suivants. Si les amarres qui nous retenaient au rivage cédaient sous la pression, notre voilier de 650 tonnes risquait de se fracasser sur les berges. Accepter l'isolement et la solitude de l'hiver pour documenter les effets des changements climatiques, peut-être. Mais en être les premières victimes, sûrement pas !

NOUS SAVIONS QUE LA FIN DES OPTIONS ÉTAIT ARRIVÉE, QU'IL N'Y AURAIT PLUS QUE NOUS POUR AFFRONTER LA SOLITUDE ET L'ISOLEMENT, SEULS À COMBATTRE LE TEMPS.

La tempête

La pluie incessante avait déjà fait ses premières victimes. L'eau s'était infiltrée dans nos caveaux de glace, et notre nourriture entreposée à même le glacier était passée au-dessus du point de congélation. Nous avons délicatement déterré les provisions d'hiver, puis constaté l'ampleur des dégâts. Les légumes surgelés semblaient condamnés. Ils l'auraient certainement été dans nos sociétés modernes d'abondance, mais pas ici, pas au bout du monde. Ces végétaux représentaient notre apport en minéraux essentiels pour les neuf mois suivants. Les choux-fleurs et les brocolis s'étaient transformés en bouillie douteuse, tout comme les petits pois, les haricots, les carottes, etc. Nous avons ouvert chaque sac, chaque contenant pour humer et juger l'état de putréfaction des aliments. Pour des raisons évidentes de salubrité, nous avons été contraints de jeter des quantités considérables de victuailles, mais avons réussi à sauver certains légumes. On ne pouvait plus vraiment les appeler ainsi, mais leur cuisson prolongée allait permettre de stopper la décomposition en cours et de conserver une partie des éléments nutritifs essentiels à notre survie. Joëlle, notre chef, a fait mijoter les restes de ces végétaux de la dernière chance pour créer des bases culinaires à intégrer dans différents plats. En vérité, il s'agit ici d'une description polie de cette substance alimentaire, aux forts accents de vert, que nous avons consommée trop souvent dans des potages. Le vert, pour les brocolis, passe encore, mais pour le reste... Allez, tout se mange quand vous y ajoutez un peu de sel...

Malgré ces déboires, il ne faut pas penser que le menu laissait à désirer sur le *SEDNA*. Notre chef savait rehausser le moral des troupes par ses petits plats savoureux et dignes des grands restaurants. Il n'y avait pas de légumes frais, et nous rêvions tous à de la verdure tendre, mais l'alimentation soignée a toujours été un baume à l'âme, estimé et réconfortant. Dans l'isolement complet et la privation, les seuls plaisirs véritables passent bien souvent par la nourriture.

Il a plu durant tout le mois d'avril, un phénomène météorologique anormal pour ces latitudes. Ce mois d'automne austral aurait dû permettre à la banquise de s'installer sur tout le territoire. Après tout, l'Antarctique se définit comme le continent le plus froid, le plus venteux et surtout le plus sec et de la planète. Les zones côtières reçoivent davantage de précipitations, mais elles ne dépassent normalement pas les 200 mm par année. Mais tout est déréglé dans cette région du monde la plus touchée par les effets des changements climatiques. Notre secteur avait subi une augmentation des températures moyennes de 5 °C en hiver au cours des cinquante années précédentes ! Cette hausse spectaculaire du thermomètre avait transformé tout l'environnement à une vitesse incroyable. Ces 5 °C faisaient maintenant toute la différence entre la glace et l'eau libre, entre la neige et la pluie. Nous subissions de plein fouet les foudres météorologiques d'une nature qui semblait avoir perdu ses repères.

Un jour, la tempête faisait rage et il n'y avait toujours pas de glace de mer pour empêcher la formation de vagues, immenses, qui s'enfonçaient dangereusement dans la baie. Les tiges d'acier trempé solidement ancrées dans le roc cédaient sous le va-et-vient incessant de notre voilier, qui suivait le mouvement ondulatoire de ces lames vagabondes. L'anémomètre enregistrait des rafales à plus de 140 km/h et l'équipe tentait désespérément de réparer nos structures d'amarrage qui capitulaient devant la pression du temps. Nous frôlions la catastrophe.

Dans la noirceur d'une nuit qui sifflait sa rage à travers les haubans, nous devions nous avouer vaincus par beaucoup plus puissant. Il fallait rapatrier les troupes rapidement, pendant que le petit pont, déformé et mal en point, pouvait encore permettre le passage périlleux des derniers membres d'équipage isolés sur la berge. Ils insistaient pour poursuivre les réparations de fortune, mais je jugeai la situation trop risquée, trop dangereuse. Tout était en train de lâcher, Éole et Neptune s'amusant à répéter ainsi les coups de chien.

Le bateau pneumatique venait tout juste d'être remonté sur le pont quand une vague, immense, mit le cap droit sur nous. Toutes les barres d'acier à tribord, sauf une, ployèrent ou éclatèrent sous la pression exercée par la montée vertigineuse de *SEDNA* sur cette onde de la mort. Pas le choix, il fallait vite préparer l'évacuation.

Le moteur tournait à plein régime, mais le voilier demeurait stationnaire, retenu par les amarres situées à l'arrière. C'était voulu, cela faisait partie du plan. Il fallait que l'hélice soit déjà en rotation rapide lorsque nous couperions les derniers liens avec le rivage. Le signal fut donné. Dans un premier temps, nous devions larguer les attaches latérales restantes et ne garder que les deux cordages de poupe. François, une hache à la main, était en poste et se tenait prêt à faire exploser ces deux derniers câbles qui s'étiraient et se raidissaient sous l'énorme tension du voilier qui faisait marche avant. Stevens, le mécanicien, m'assistait au poste de pilotage en essayant de garder la proue sous le vent, à l'aide du propulseur d'étrave. Puis, un grand bruit, une complainte métallique déchira la nuit. Mon cœur s'arrêta un instant. Un des câbles récemment largués venait de se coincer dans le moteur avant, empêchant toute utilisation de l'engin qui devait permettre de diriger le nez du voilier. Avec les récifs à l'entrée, la sortie devenait maintenant presque impossible, mais il fallait quand même tenter le coup, visualiser mentalement la manœuvre dans cette nuit d'encre qui dissimulait les brisants rocailleux, et foncer par la simple force de notre moteur principal. Je savais qu'il fallait une certaine vitesse pour contourner les récifs et éviter l'échouage. Cette baie était devenue minuscule, lilliputienne avec ses 40 mètres de large. Je poussai le moteur à fond et lançai l'ordre de couper les deux dernières amarres du pont arrière. À la radio, on demanda à deux reprises une confirmation de la directive, tellement le commandement paraissait osé, voire presque suicidaire. Oui, on coupe les amarres!

Il fallait foncer. Je savais surtout trop bien que de cette manœuvre délicate dépendait le sort de tous les autres, ceux et celles qui, depuis des heures, combattaient sans relâche pour simplement survivre. Je ne voulais pas vraiment y aller, mais je n'avais plus le choix.

François n'eut pas de mal à nous libérer. Les derniers filins d'espoir étaient tellement tendus qu'ils explosèrent littéralement au seul contact de la hache. Rien ne nous retenait ici, et il fallait rapidement foncer vers la côte, évaluer le temps de réaction du navire et corriger immédiatement la trajectoire pour contourner les obstacles qui se présentaient de tous les côtés. J'anticipais la catastrophe à venir. Dans ma tête, j'entendais presque le bruit de la coque qui allait se fracasser contre les rivages, comme si la conjoncture annonçait déjà la tragédie. Il ne fallait surtout pas laisser les dérives de l'esprit fausser le jugement. La concentration était totale et, même si nous avions besoin d'un petit miracle pour nous sortir indemnes de ce drame annoncé, nous allions tout tenter.

Mario, situé sur le pont avant, éclairait les récifs qui nous menaçaient de près. Il réclamait un changement de cap rapide pour éviter la collision. Je corrigeais la route, sans trop savoir si mes mesures étaient adéquates. Nous frôlâmes le brisant pour revenir au centre de l'étroite sortie, balayés par des vagues incessantes. Je consultais les écrans radars pour essayer de me repérer, mais l'instinct et l'adrénaline avaient maintenant pris le contrôle de la situation. Je sentis soudain une petite secousse, une saccade venue de nulle part. Je savais que ce n'était pas un rocher, l'impact était trop faible. Il s'agissait plutôt d'un léger ralentissement, comme une perte de puissance, comme si nous traînions quelque chose. Mais oui, les ancres! Pas le temps de les remonter. Il fallait les draguer jusqu'à la sortie. Nous avions donc réussi à revenir à notre site de mouillage, ce qui représentait une excellente nouvelle. La langue de terre rocailleuse qui s'avançait à l'entrée de la baie était derrière nous! Mario criait déjà sa joie sur les ondes. Nous avions réussi, nous étions sortis de la baie! Notre bonne étoile avait pris les choses en main et le petit miracle s'était produit. Nous étions libérés, délivrés, mais orphelins de la nuit, sans attaches, sans domicile et surtout sans destination.

Nous avions trouvé refuge dans une autre baie, mieux protégée des vents qui poursuivaient leurs clameurs avec force et puissance. Le voilier étant sécurisé pour la nuit, nous pouvions enfin nous réconforter mutuellement. Les visages portaient encore les marques prononcées du stress et de l'anxiété. Sauvés, peut-être, mais pour aller où? Pour faire quoi? Fallait-il continuer ou abandonner? Tant de questions qui tournaient dans nos têtes et qui s'affichaient sur les visages ébranlés de tous les membres d'équipage.

Il fallait se concentrer sur l'essentiel, sur le moment présent, et repousser l'angoisse de l'avenir à plus tard. Personne n'était blessé, personne n'avait paniqué et, le lendemain, si Éole et Neptune le voulaient bien, nous allions rebâtir nos vies et trouver un nouveau site d'hivernage.

J'envoyai tout le monde au lit et je restai seul à la timonerie. Je devais faire le point avec moi-même, repenser la mission et écouler le flux d'adrénaline avant de me reposer. Je n'ai jamais trouvé le sommeil cette nuit-là. Ni le lendemain ni le surlendemain d'ailleurs...

Un nouveau site d'hivernage

Le nouveau site d'hivernage semblait bien protégé des vents et de la houle. Enclavée entre les glaciers, cette petite baie représentait la meilleure option possible. Après avoir récupéré la nourriture et une bonne partie de l'équipement scientifique abandonné à la station de Melchior, nous avons improvisé des amarres avec les restes des cordages mal en point, sectionnés à la hache ou fragilisés par un étirement imposé, tristes vestiges qui nous rappelaient la chance que nous avions eue de nous en sortir indemnes.

Après des jours de dur labeur, nous avons enfin pu retrouver le calme et le silence de l'Antarctique, et nous abandonner dans les bras moelleux et confortables de Morphée. Éole n'a sans doute pas apprécié cet armistice fugitif. En pleine nuit, il a décidé de nous faire payer le fort prix pour cette trêve collective. La vengeance fut terrible. Les marins perdus en songe n'ont eu d'autre choix que de reprendre rapidement du service, car le dieu du vent venait de trouver le passage secret qui menait à notre refuge de fortune. Les coups au flanc étaient pernicieux, presque assassins. Le vent a soufflé, puis soufflé encore et toujours plus fort, entraînant *SEDNA* vers le rivage, dangereusement. Les ancres chassaient sous la force des rafales et elles n'arrivaient plus à retenir notre voilier. Le baromètre était en chute libre, 934,5 mbar, puis 930 ! Jamais vu une plongée aussi rapide. L'anémomètre s'est bloqué et on ne parvenait plus à lire la vitesse du vent. Peu importe, à plus de 100 km/h, on ne compte plus, on constate. Triste constat d'ailleurs. Le rivage était là, menaçant, quelques mètres à peine. Soudain, une secousse profonde, lourde, qui résonnait dans tout l'espace. Le talon de la coque du voilier venait de heurter le fond. Une onde qui rejoignait même nos corps, nos organes et notre fierté. L'insulte intérieure envers Éole était franche et directe. Nous ne méritions pas cela.

Mario, le plongeur, était en pleine réparation sous la partie avant du voilier. Il fallait retirer le cordage toujours coincé dans le moteur d'étrave. Il devait absolument dégager l'amarre si nous voulions utiliser les moteurs pour remonter au vent. Mais pas question d'oser la moindre manœuvre tant qu'il n'était pas revenu à la surface. Le bateau pneumatique fut mis à contribution comme remorqueur pour tenter de retenir notre voilier en perdition. Toute sa puissance devait servir à orienter la proue loin du rivage. S'il n'arrivait pas à maintenir le navire contre le vent, nous étions condamnés à l'échouage.

Mario, l'homme de la situation quand les choses tournent mal, a finalement réapparu. Il tenait dans ses mains le câble enfin dégagé. Le moteur fut lancé et *SEDNA* se mit à remonter au vent avec une puissance étonnante, comme si la déesse du Nord avait envie de vivre pour montrer aux dieux du Sud ce dont nous étions capables.

Encore une fois, dans un formidable effort collectif, nous avions réussi. L'équipe, épuisée, trempée et exténuée, s'est réunie pour faire le point sur la situation. Un énorme fou rire est venu apaiser les angoisses. Était-ce la folie qui s'installait déjà, alors que nous avons encore six mois d'hivernage à affronter ?

Quant à toi, Éole, dieu du vent, je savais bien que tu en préparais une autre. Le baromètre annonçait ta prochaine attaque. Nous ne ferions plus la même erreur et resterions fidèles à un seul dieu. Nous délaissâmes donc Morphée pour mieux t'accorder toute notre attention. De toute façon, il y avait longtemps que le sommeil ne faisait plus partie de nos jours et de nos nuits...

Un voyage au bout de nos vies

Juin, mois d'hiver austral, et il pleuvait. Encore et toujours ! Pas une brumasse de passage. Une pluie diluvienne. La longue nuit antarctique s'était installée et nous n'avions plus que quatre heures de clarté par jour. Nous ne voyions plus le soleil, mais nous percevions ses effets sur le ciel qui déclinait de jolies teintes de carmin. Vers 10 heures, l'horizon s'enflammait. À 14 heures, la nuit avait déjà repris ses droits sur le jour.

J'entendais régulièrement le fracas des glaciers qui laissaient partir d'immenses pans à la mer. Un son de catastrophe, de cataclysme, d'épouvante, que les ténèbres répétaient en écho, comme un message, comme un appel de détresse lancé à l'humanité. Nous n'étions malheureusement que treize pour l'entendre. Il en aurait fallu des millions, voire quelques milliards pour espérer un impact, pour que ce bruit d'apocalypse provoque un réel changement.

On nous avait prévenus que l'obscurité imposée allait agir sur le moral des troupes. Il fallait s'occuper, se concentrer sur les petites tâches du quotidien pour ne pas sombrer dans l'abîme de la solitude. L'ambiance et le temps, lourds, n'avaient plus la même signification depuis que nos corps combattaient la dépression, une conséquence bien documentée du syndrome d'hivernage. Nous savions tout cela, mais comment nous préparer réellement contre l'inconnu ?

Juillet ressembla en tous points à juin. Le mercure descendit régulièrement sous le point de congélation, mais les dépressions du nord replongèrent rapidement le territoire dans sa chaleur nouvelle. L'absence de banquise nous emprisonnait toujours davantage dans notre monotonie. Sans glace, nulle part où aller. Les

skis et les traîneaux étaient prêts, mais ils devraient attendre qu'une certaine normalité vienne agrémenter enfin nos vies.

Les phoques aussi avaient besoin de la glace pour se reproduire et mettre bas. Ils cherchaient comme nous l'espoir à travers les quelques plaques dérivantes, mais leur état de dépendance était encore plus précaire que le nôtre. Ils ne pourraient pas reporter éternellement leur date de mise bas. Certaines femelles avaient même choisi les plages pour terminer leur gestation.

Les baleines à bosse n'avaient pas quitté le secteur. Normalement, elles auraient dû fuir la région, poussées au nord par la menace saisonnière de la banquise. Plus rien ne tenait devant cette transformation imparable du territoire, même les routes migratoires pourtant millénaires, inscrites dans les codes génétiques de l'espèce.

La beauté phénoménale de la nature demeurait notre seul baume à l'âme. Nous étions privilégiés de pouvoir assister à ce spectacle de l'hiver antarctique que peu d'humains ont eu la chance d'observer. Une beauté éphémère qui s'exprime dans une nuit interminable, qui transporte trop souvent sur les voies intérieures

de nos âmes les sombres pensées qu'il faut savoir repousser pour survivre aux caprices du temps.

Ce temps qui semblait figé, paralysé, exacerbait les effets de cette promiscuité imposée. Nous n'étions que 13 prisonniers de la nuit. Peu, diront les uns. Trop, affirment les autres. Quand les petites habitudes quotidiennes d'autrui réussirent à irriter même les plus conciliants, on en vint presque à se découvrir une foi pour implorer l'installation permanente de la banquise, celle qui allait permettre aux aventuriers de s'évader, d'explorer, de quitter l'enfer de notre prison d'acier.

Il a fallu attendre le mois d'août pour qu'enfin s'installe cette glace de mer fragile, mais assez solide pour supporter le poids de nos corps et de nos consciences. La lumière aussi ramenait l'espoir et une certaine forme de délivrance. Nous gagnions près de sept minutes de clarté par jour, et le soleil s'élèverait bientôt au-dessus des murs de notre geôle naturelle. Note petite baie protégée demeurerait l'exception puisque, partout autour, là où le vent et les courants avaient encore une emprise sur la mer, c'était l'eau libre. À n'en pas douter, l'hiver manquerait de temps.

Tous les animaux des environs qui dépendaient de la glace avaient compris que leur salut se trouvait ici. Ils arrivaient en grand nombre pour profiter du seul petit territoire englacé, capable d'assurer leurs cycles vitaux. Les phoques crabiers, les phoques de Weddell et même le redoutable phoque léopard étaient nos voisins. Nous étions désormais tous des victimes, réunis sur notre île flottante comme des réfugiés climatiques qui partagent un repaire de tribulations hasardeuses, précaires et incertaines.

Depuis que la glace avait finalement recouvert la baie, il ne se passait pas une journée sans que nous pratiquions la marche, le ski, la raquette de neige ou le hockey. Nous retrouvions nos repères de résidants du Nord et nous revivions depuis que les grands espaces s'offraient enfin à nous. Nos patrouilles quotidiennes permettaient de suivre la progression de nos colocataires de banquise. Les phoques avaient commencé à donner naissance. La vie nouvelle s'époumonait à grands cris d'incertitudes, et l'écho des glaciers portait en rappel la bonne nouvelle à travers toute la baie.

Septembre n'était déjà plus, et nous avions le sentiment que les jours filaient à une vitesse incroyable. La

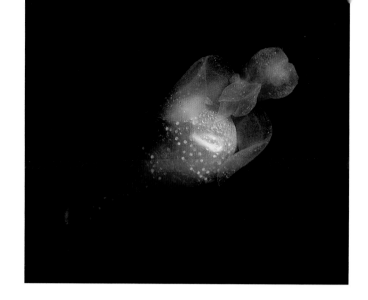

glace était venue réparer les pesanteurs du temps et l'harmonie semblait s'établir de plus en plus entre toutes les formes de vie qui partageaient lieux et moments, comme si une certaine éternité s'installait entre nous. Notre aventure avait eu un commencement mais, malgré le départ à venir, la distance et l'inévitable finalité du temps, elle ne saurait avoir une fin véritable. N'est-ce pas là l'une des définitions de l'éternité ? Une indicible onde de bonheur résonnerait en nous pour toujours, impérissable souvenir de la simple beauté du monde.

Libérés de nos attaches, nous avions refait nos vies sans trop regarder derrière nous. Nous avions volontairement négligé ceux et celles qui nous aimaient et nous attendaient, probablement par pur mécanisme de survie, et nous avons changé au contact d'une nature plus forte que tout. J'ignorais qui j'étais devenu, mais je savais que je ne pourrais plus être celui d'avant. J'avais l'impression que j'avais touché à une liberté nouvelle, dégagé de certains artifices qui voilent souvent l'essentiel. Peut-être fallait-il approcher cette conviction d'éternité pour que s'exprime et se ressente, enfin, cette liberté.

Après une année d'absence, une certaine fatalité nous rattrapait. Il s'était passé quelque chose d'étrange, d'inexplicable, au douzième mois de l'expédition. Nous avions toujours refusé de regarder derrière nous, mais la fragilité de la banquise qui se dégradait rapidement sous un printemps hâtif nous forçait à penser au départ. Pour la première fois, nous devions nous replonger dans les préparatifs du retour et accepter d'affronter l'inévitable rentrée. Nous avions évolué avec une vitesse déconcertante et nous redoutions déjà la confrontation avec nos amours abandonnées sur le quai des solitudes. Une majorité d'entre nous ne se reconnaissait

plus dans le passé. Le grand voyage intérieur avait fait son œuvre et suscité un désir profond de changement.

La personne la plus chère pour nous était là, quelque part au carrefour nouveau de la vie. Elle attendait, espérait et rêvait au retour. Mais que représentait-elle réellement ? Elle symbolisait, plus que quiconque, celui ou celle que nous étions, cet être que des mois d'isolement et de solitude avaient transformé. Comment allions-nous vivre ce décalage important entre ce que nous étions devenus et ce que nous étions auparavant ? L'angoisse... Les derniers mois allaient peut-être permettre de réorienter nos sentiments, pour éviter de sacrifier sur l'autel de nos individualités ceux et celles qui attendaient et espéraient notre retour.

Quand novembre est arrivé et que les ultimes pans de glace sont partis mourir au large, nous avons su qu'il était aussi temps pour nous d'aller affronter nos illusions. Le retour dans la société n'avait plus le même goût suave espéré. Sans trop comprendre pourquoi, et contre toute logique, nous demandions encore un sursis. Pourtant, l'heure du départ avait sonné et il fallait maintenant fixer nos regards vers le nord. Les yeux gonflés par une marée intérieure traduisant le va-et-vient d'un cœur déchiré entre le désir de partir et celui de rester, nous avons mis le cap vers cet hier troublant, pleins d'intentions pour un demain naissant. Comment ne pas revenir transformés par ce voyage au bout de nos vies ? Nous naviguions vers vous, le cœur chargé, contents mais inquiets de vous retrouver.

La dernière route

SEDNA se comportait comme une monture qui connaissait le chemin de l'écurie, engrangeant les milles à une vitesse record. Soutenu par une bonne brise du sud, notre voilier s'élançait sous ce souffle qui arrivait directement de l'Antarctique, un vent de chez nous. Le corps supportait bien les coups du retour, mais l'esprit semblait être resté en route, perdu sur les vestiges d'une banquise en déclin. « Il faut te ressaisir, marin, si tu ne veux pas te noyer dans les flots de ton âme en déluge. Il faut cesser de regarder derrière et affronter cet avenir incertain, imprévisible. Après 430 jours de réflexion, nous revenions transformés par la vie.

Si près de l'arrivée, il fallait maintenant se donner le droit d'imaginer comment cela se passerait, de rêver au contact des êtres chers qui nous attendaient. Dans les affres du retour, il fallait savoir retrouver le doux parfum de ceux et celles que l'on aime. Nous revenions le cœur garni d'essentiel et de vérités, que nous souhaitions et devions partager avec nos proches.

Cette nuit-là, sur le pont du voilier, ça sentait la terre. Nous suivions ces effluves qui, plus que les étoiles, guidaient notre bateau. La grande noirceur s'achevait et le jour continuait de voler du temps aux ténèbres. Une partie de moi rentrait à la maison, mais j'étais conscient que plus rien ne serait pareil désormais. L'autre moitié était peut-être restée derrière, loin au sud, mais elle survivrait aux aléas du temps, comme elle avait su le faire durant les pires épreuves. Assurément, une partie de moi demeurait là-bas, comme une portion d'éternité qui refuse de mourir...

Le retour

Notre retour dans la société eut ses hauts et ses bas. Certes, au début, nous avons apprécié l'état presque euphorique des rencontres et le raz-de-marée médiatique qui a accompagné l'arrivée triomphale des témoins de l'apocalypse climatique. Le public, généreux et admiratif, reconnaissait les efforts consacrés par tout l'équipage, et les marques d'amour réconfortaient nos cœurs chavirés. Tout cela était bon pour la cause que nous défendions, et la mobilisation populaire contre les changements climatiques prenait réellement son envol.

Toutefois, perdus au milieu de tout ce cirque, nous avons rapidement éprouvé le besoin de nous isoler, de retrouver le confort de la solitude que nous avions su apprivoiser et apprécier. Il devenait difficile d'expliquer à nos proches ce que l'on ressentait vis-à-vis de tout cela. Intérieurement, intimement, profondément. Nous avions consenti à consacrer une partie de nos vies à exposer publiquement une situation environnementale criante. Sur cet aspect, mission accomplie. Mais plusieurs d'entre nous éprouvaient ce besoin viscéral de ralentir cette cavalcade sociétale grivoise et superficielle qui ne correspondait plus à ce que nous étions devenus. Certains sont partis, en voyage ou en fuite, pour éviter la confrontation avec les amis, le travail, les obligations ou simplement la société.

Le prix à payer pour notre escapade dans les tréfonds de l'âme fut énorme pour la majorité des familles et des couples. En vérité, peu ont résisté au choc des retrouvailles. Au fil des jours, j'ai dû apprendre à vivre avec cette cicatrice profonde, avec cette culpabilité d'avoir contribué directement aux séparations de couples qui semblaient pourtant inébranlables. Je pense aux enfants, premières victimes de ces séparations inimaginables au jour du départ. J'avais convaincu chaque membre de l'équipe de s'engager dans cette grande épopée. Je les avais entraînés dans mon rêve un peu fou, et j'étais donc responsable du malheur de ces familles déconstruites par les conséquences d'une mission aux frontières du possible. Rien ne pourra effacer cette infraction personnelle qui a fait exploser mes propres modèles familiaux, éternelle sentence enfouie pour toujours au registre de mon âme endeuillée par la tromperie involontaire, l'ambition et l'illusion.

SEDNA portait aussi les marques du temps et il fallait encore une fois convaincre si nous voulions repartir. J'aurais souhaité une mission sobre, pas trop dangereuse, pas trop loin, une aventure simple qui ne demanderait pas un investissement total en matière de vie. Je m'étais également promis de ne plus tout risquer, financièrement, comme je l'avais toujours fait depuis le début de ce pèlerinage environnemental. Sur ce point, j'ai eu tout faux.

Le temps avait passé et je m'étais plongé dans le bonheur infini d'une famille recomposée. Pour la première fois de mon existence, j'avais des racines profondes qui allaient désormais déterminer mon destin. Le nous avait remplacé le moi et j'appréciais, plus que tout, la présence d'un bambin chéri dans ma vie. Pendant toutes ces années, j'avais travaillé au nom des enfants, pour que nous puissions leur offrir un environnement sain, inspiré de valeurs humaines et sociétales précieuses. Cette génération avait soudainement un nom, un visage, et c'est pour lui que j'allais dorénavant poursuivre mon combat pour un plus grand respect de la vie, seul legs véritable et durable. Mon univers était transformé et, malgré le fait qu'il m'arrivait de chercher mes repères dans les standards de l'engagement, je m'étais promis, pour le meilleur et pour le pire, de ne plus partir sans revenir.

1000 JOURS POUR LA PLANÈTE

Les moulins d'espoir et de doute

S EDNA, notre déesse des mers, est enfin prête pour un nouveau départ. Les mésaventures de son radoub doivent maintenant être laissées en poupe si nous voulons apprécier ses qualités de grande navigatrice. Les coffres sont vides, encore une fois, mais les projets sont remplis d'espoir de changement, qui débordent le simple aspect financier d'une opération beaucoup trop ambitieuse pour nos petits moyens. Les rêveurs finissent souvent par mourir d'excès, de démesure, d'angoisses et de dettes, mais on ne peut leur reprocher d'entreprendre et d'oser le dépassement.

Plus que jamais, nous nous lançons sur une mer à haut risque. Ce ne sont pas les vagues qui nous effraient, mais bien les attentes. Celles des créanciers, impatients devant le manque de zéros au bilan des chiffres, et celles des partenaires de contenu, qui ne visent rien de moins que les succès de nos expéditions passées. Partir pour sensibiliser la planète à la fragilité de la nature demeure une véritable mission. Et il aura fallu un autre petit miracle pour poursuivre l'aventure.

Aujourd'hui, tout ce qui reste d'avoirs et de possessions a été disséminé dans la coque et le gréement de cette monture d'acier, que je me dois de chevaucher à nouveau pour braver l'avenir et l'inconnu. Il m'arrive

parfois de me perdre en pensées quand vient le temps de trouver un sens à tout cela. Je deviens alors le héros fou du roman de Miguel de Cervantès, le personnage de Don Quichotte, l'archétype du rêveur irréaliste et irraisonné. *SEDNA* devient *Rossinante,* et nous partons braver les archers de l'indifférence environnementale.

Les grandes tours d'ivoire, celles qui s'opposent sans vergogne aux rafales de changement qui rêvent de balayer le passéisme des mœurs sans respect, se dressent comme d'immenses moulins qui produisent des vents contraires. Nous nous lançons à leur poursuite, sans retenue, pour dénoncer les effets pervers d'une société qui carbure aux abus de ce que nous sommes devenus. Fanatisés par nos rêves d'absolue justice et de bien commun, il nous arrive de confondre la réalité en combattant, avec nos mots et nos images, des géants beaucoup trop grands et trop puissants pour la simple force de nos récits. Le réalisme de la situation devrait forcer l'écuyer des mers à battre en retraite pour rejoindre ses terres et mieux gérer ses croyances profondes, mais l'abandon n'est pas une option. Surtout depuis que *Rossinante* s'est faite belle et s'est armée pour affronter les brises de l'indifférence, soufflées par la désinvolture des âmes dirigeantes.

Don Quichotte de la Manche était un rêveur fou qui s'attaquait à bien plus puissant que lui. Dans sa chevauchée, ce n'est pas tellement le résultat qui domine l'histoire, mais plutôt la quête. Après tant d'années, il nous incombe peut-être de refaire une certaine épopée, sans attente de résultats, mais en misant sur la quête. Pour que les images et les mots puissent décrire les mêmes signes d'assoupissement de nos sociétés qui aspirent au réveil des mentalités. Pour aujourd'hui, bien sûr, mais surtout pour demain. Pour que les moulins et les usines du temps puissent insuffler autre chose qu'une simple illusion de changement.

Les Açores

Perdu au milieu de l'océan Atlantique, l'archipel des Açores est souvent considéré comme une escale de choix durant les voyages transatlantiques. Les marins connaissent et aiment les Açores. Ils goûtent l'ambiance maritime au quai et ses odeurs de poisson. Ils affectionnent l'histoire de ces habitants, anciens chasseurs de cachalots, et celle de ces pêcheurs qui rappelle une certaine époque d'abondance et de prospérité. Mais ce que les marins de passage apprécient par-dessus tout, c'est faire la fête chez Peter, le fameux bar de Horta, situé sur l'île de Faial. Un lieu légendaire, aux cloisons tapissées de reliques et de souvenirs d'équipage. Ici, ça sent la bière et bien d'autres choses. Si les murs pouvaient raconter les histoires de ces marins d'escale, il y aurait des encyclopédies en récits de toutes sortes. Inutile de chercher à entendre des détails croustillants dans les cavités taciturnes de ces murailles complices. Ici, les lois de la mer sont respectées selon les traditions, et le silence est d'or. Ce qui se passe sur un bateau reste sur le bateau !

Nous ne sommes pas venus là pour faire la fête. Nous désirons plutôt documenter la pêche au large et vérifier une hypothèse scientifique qui tend à démontrer que les requins bleus pourraient utiliser le territoire des Açores pour donner naissance. Nous travaillons avec des amis biologistes de l'université locale, Pedro et Jorge, et *SEDNA*, cet ancien chalutier, reprendra du service comme bateau de pêche. Nous appâterons les requins dans le but d'attraper une femelle gravide. Si nous avons de la chance, beaucoup de chance, nous serons en mesure de déterminer le stade de développement intra-utérin des jeunes requins.

Les biologistes sont passés maîtres dans la capture de squales. À l'aide d'hameçons modifiés, ils ont mis au point une technique efficace qui permet de les pêcher sans trop les blesser.

Le pont arrière de notre voilier s'est transformé en petite usine de poissons pour la préparation de l'expérience. Des maquereaux morts depuis un certain temps embaument la place et sont empalés sur les hameçons. Des viscères et des têtes de poissons sont aussi accrochés aux extrémités de notre ligne, et des seaux de sang seront répandus au-dessus de notre palangre. À bord, les cœurs sensibles fixent le large.

Nous naviguons de nuit jusqu'au site de pêche choisi par les scientifiques. Aux premières lueurs du jour, nous tendons la ligne dans un secteur réputé pour l'abondance de ses requins, puis nous nous éloignons. Le pari est risqué. Notre ligne ne possède qu'une douzaine d'hameçons appâtés. C'est peu, mais les biologistes ne veulent surtout pas se retrouver avec plusieurs requins capturés.

Nous avons commencé à relever la ligne. Rien... Les maquereaux sont intacts, pas une morsure, pas un signe de prédateur dans les parages. Puis, à la dernière station, une tension. Difficile de la remonter tellement le poids est considérable, mais aucun mouvement, aucun frétillement. Les scientifiques sont nerveux. Ils hissent la ligne avec de plus en plus d'inquiétude et s'activent dès que la masse gigantesque apparaît en surface. Un énorme requin bleu s'est empêtré dans le filin. Il ne peut plus bouger et il risque l'asphyxie.

Le requin bleu a besoin de s'ébattre pour s'oxygéner en faisant circuler l'eau à travers ses branchies. S'il demeure trop longtemps immobile, il peut mourir, une fatalité pour ceux qui tentent de les protéger. Nous l'avons prestement dégagé et l'avons amarré à notre petite embarcation en mouvement pour faciliter son oxygénation. Les biologistes confirment le sexe de l'animal. C'est une femelle et elle retrouve progressivement ses sens, sauvée par l'intervention rapide des spécialistes. Il n'y a pas de temps à perdre. Il faut installer un émetteur satellite sur la nageoire dorsale du requin, un dispositif de transmission qui permettra d'enregistrer les mouvements de l'animal. Cette femelle semble gestante, mais seuls les résultats de l'analyse sanguine pourront confirmer son statut. Il est impossible de connaître le stade de développement des jeunes requins mais, si les données satellites montrent que la femelle demeure dans le secteur un bon moment, nous pourrons déduire qu'elle utilise ce territoire comme site de mise bas.

Jorge est près de la tête du requin pour retenir l'animal et garder un œil attentif sur son impressionnante mâchoire, aux dents effilées comme des lames de rasoir. Il vérifie régulièrement les signes vitaux du squale, pendant que Pedro fixe l'émetteur. J'ai pour tâche de maintenir la queue puissante de la bête qui peut réagir à tout moment pour se dégager de sa fâcheuse situation. Puis, sans prévenir, je me mets à

L'équipe de l'Université des Açores s'est rendue maître dans la capture des requins. Ici, un requin des Galápagos, capturé au large de l'île Cocos, au Costa Rica, sera équipé d'une balise satellite.

hurler. D'étranges créatures commencent à sortir de l'orifice génital, juste sous mes yeux, à quelques centimètres de mes mains à demi submergées. Un, puis deux, puis trois. Les nouveau-nés sautent de façon erratique hors de l'eau, puis s'enfuient rapidement. Le stress causé par la capture et la détention de la femelle ont probablement provoqué ce réflexe d'expulsion des jeunes requins, un mécanisme de survie pour assurer la viabilité des jeunes. Jorge et Pedro sont sous le choc. D'un côté, ils sont certainement responsables de cette mise bas prématurée mais, de l'autre, ils viennent de répondre à une importante question scientifique qui permettra de mieux connaître les cycles vitaux de cette espèce qu'ils désirent protéger. Les jeunes requins paraissaient en parfaite santé, et leur taille considérable confirme qu'ils étaient presque arrivés à maturité. Dès leur naissance, les jeunes requins sont autonomes. Ils ressemblent en tous points aux adultes, prêts et outillés pour commencer leur nouvelle vie. Si l'on se fie au stade de développement observé, ils ne seront pas seuls. D'autres risquent de voir le jour autour des îles prochainement. C'est une excellente nouvelle !

Nous avons rapidement mis fin à l'intervention et libéré la femelle qui paraissait avoir parfaitement récupéré. Sans le savoir, elle venait de contribuer à l'avancement de la science et participer à la protection de sa propre espèce.

Les requins bleus abondent dans le secteur et ils sont devenus la proie des pêcheurs qui n'arrivent plus à capturer suffisamment d'espadons et autres grands poissons pour couvrir les frais de leurs campagnes en mer. Nous rêvions de nous embarquer sur un palangrier, ces bateaux à la longue ligne qui participent activement au saccage insensé des océans. La tâche n'allait pas être facile. Notre présence ici dérangeait

et nos amis scientifiques devaient réussir à convaincre un des capitaines de nos bonnes intentions. La pêche au gros n'est pas bien vue à l'international, et nos caméras incommodent. Nous désirions pourtant connaître le point de vue de ces pêcheurs de père en fils, de ces hommes de la mer qui vivent dans des conditions difficiles, loin au large, et qui sont les premières victimes de la diminution spectaculaire des stocks. On estime que 90 % des grands poissons des océans ont disparu au cours des dernières décennies. Au rythme actuel, si rien ne change, on prédit la fin de la pêche commerciale avant l'achèvement du siècle ! Or, sur la planète, plus d'un milliard d'humains en dépendent directement pour leur survie.

Après de longues discussions autour de quelques bières chez Peter, nous obtenons l'autorisation d'embarquer. Les conditions de vie au large allaient être minimales, à la limite de la salubrité, mais nous étions prêts à tout pour documenter cette pêche controversée.

Les permis et les tracasseries administratives se règlent au quai, le matin même de notre départ, et nous rejoignons le palangrier, à plus de 50 milles au large. C'est une situation exceptionnelle, un privilège, car les pêcheurs redoutent la présence d'observateurs à bord, surtout quand ils filment. L'accueil est toutefois cordial et, comme prévu, les cabines sont exécrables. La moiteur et l'odeur, ajoutées au roulis incessant du bateau, annoncent une semaine pour le moins houleuse.

C'est un métier difficile, où le sang gicle sur les murs jusqu'à ce que la mort vienne achever la vie de ces grands poissons capturés par l'un des 1 200 hameçons appâtés, suspendus à une ligne de près de 100 kilomètres de long !

Le requin bleu est l'espèce de requin pélagique la plus abondante sur la planète, mais c'est aussi la plus pêchée. Il est particulièrement vulnérable à la surpêche en raison de sa maturité et de sa reproduction tardive.

Il y a de cela à peine 15 ans, les pêcheurs à la longue ligne rapportaient déjà des tonnes de requins bleus sur leurs hameçons. Comme il n'y avait pas de marché pour cette espèce, on les relâchait à la mer. Aujourd'hui, les pêcheurs recherchent les requins, qu'ils considèrent comme essentiels à la rentabilité de leurs opérations. Ce qui n'était qu'une prise accidentelle est devenu une source réelle de revenus.

Plusieurs facteurs peuvent expliquer ce changement important au sein de l'industrie de la pêche. D'abord, il y a bien sûr le lucratif marché asiatique des ailerons de requins. Dans plusieurs régions du monde, les requins sont victimes d'une pratique dénoncée par l'ensemble de la communauté scientifique : le *finning*. On coupe les ailerons, et l'animal amputé, toujours vivant, est simplement rejeté à la mer. Certaines croyances populaires laissent entendre que les nageoires repousseront après cette mutilation. Or, rien n'est plus faux. Les squales atrophiés agonisent et meurent lentement au fond des océans.

La demande croissante en Asie pour ce marché a exercé une pression nouvelle et insoutenable sur la majorité des populations de requins dans le monde. Une vaste étude internationale a révélé que 32 % des 64 espèces de requins et raies pélagiques sont aujourd'hui menacées d'extinction, principalement en raison de la surpêche. La soupe aux ailerons de requin

est un mets apprécié en Chine. Elle est surtout consommée lors des mariages et autres événements festifs. Or, les ailerons n'ont pas de goût particulier. Il s'agit d'une tradition culturelle, et non d'un mets culinaire raffiné. On estime qu'environ 100 millions de requins sont ainsi tués chaque année. Le taux de pêche actuel dépasse la capacité de reconstitution des stocks.

Nous avons assisté à ce carnage commandé avec stupéfaction et dégoût. En réalité, personne ne s'amusait vraiment sur ce bateau. Le capitaine non plus n'était pas très content. Ce n'était pas tellement notre présence qui justifiait son humeur massacrante, mais plutôt le résultat de cette pêche médiocre selon lui. Pour cette première journée, nous avions quand même accumulé près de 75 kilos de nageoires de requins. Ici, en Europe, il est interdit de rejeter les requins amputés à la mer, ce qui oblige les pêcheurs à conserver le corps, qui sera vendu et transformé. Peu de gens le savent, mais les Européens consomment chaque jour du requin, que l'on présente sous différents noms pour éviter la controverse. La chair blanche servira

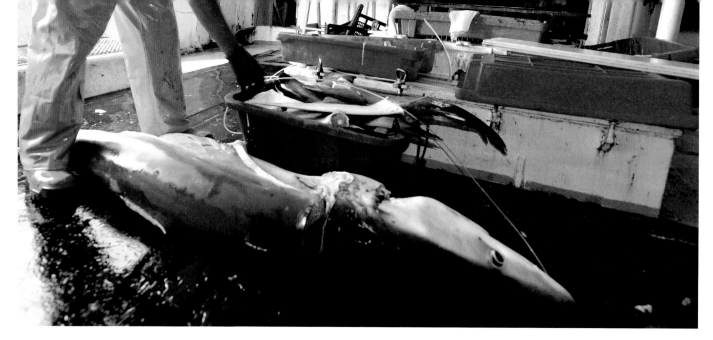

principalement dans les recettes de bâtonnets de poisson surgelés. En vérité, l'industrie a créé ce qui ressemble à un faux marché, surtout pour faire taire les critiques concernant les pratiques cruelles de *finning*. Avec un prix ridicule d'une soixantaine de centimes d'euro le kilo (moins d'un dollar !) pour les carcasses, il n'est pas étonnant de voir la mine rageuse du capitaine devant notre faible récolte.

À cela, il faut bien sûr ajouter le résultat convoité de la pêche, les vrais grands poissons prisés par l'industrie, mais qui se font de plus en plus rares dans l'océan. Cette journée-là, six espadons de taille réglementaire ont été remontés sur le pont du palangrier. Ces poissons-épées seront conservés sur la glace pour être vendus comme « poissons frais ». Ils ne seront pas congelés pour que leur chair garde une certaine fraîcheur. Or, la durée moyenne d'une campagne de pêche en mer est de 21 jours. Cet espadon, capturé au premier jour, sera vendu au distributeur à quai trois semaines plus tard. Le distributeur l'expédiera par la suite dans les différents marchés internationaux, ce qui prendra encore quelques jours. Au moment où le consommateur l'achètera, ce « poisson frais » aura déjà passé pas loin d'un mois sur la glace...

Rentable, l'industrie de la pêche ? Pas vraiment, en raison de la diminution spectaculaire des stocks. Si on fait le bilan de cette première journée, les 75 kilos de nageoires rapporteront près de 600 euros, et la chair des 25 requins remontés devrait se détailler à environ 425 euros. Oui, les simples ailerons valent plus que les corps entiers ! Les six espadons, au poids moyen de 60 kilos, se vendront un peu plus de 2 000 euros, pour un total de 3 000 euros de revenus bruts. Il faudra bien sûr payer et nourrir l'équipage de 14 hommes, en plus du prix des appâts (1,70 euro le kilo), et il aura fallu brûler des milliers de litres de diesel durant la journée. Si l'on ajoute les coûts du

matériel — des kilomètres de lignes, des hameçons, des leurres lumineux jetables pour attirer le poisson la nuit, et autres accessoires —, il est évident que l'opération est loin d'être profitable! Le capitaine estime qu'il faut pêcher un minimum de 2 000 kilos de chair de requin pour couvrir les coûts d'une seule journée de pêche. Demain, il ira taquiner le gros dans un autre secteur. Il n'a pas le choix, il doit être performant s'il veut conserver son emploi. Le salaire des pêcheurs embarqués sous sa gouverne dépend de la capacité du capitaine à trouver les bons sites.

Malgré l'effondrement des stocks et la situation déficitaire de l'industrie, l'effort de pêche demeure considérable un peu partout sur la planète. Cette industrie fait vivre nombre de travailleurs, et nous acceptons donc, souvent sans le savoir, d'y participer financièrement. Sous prétexte de conserver les emplois, ou pour toutes autres raisons économiques ou politiques, nous contribuons au génocide insensé et programmé des ressources des océans. Plus de 27 milliards de

dollars par année sont accordés sous forme de subventions, d'aides gouvernementales ou de crédits à l'industrie! Dans plusieurs pays, le prix du carburant est souvent exempt de taxes pour les pêcheurs, et toute une panoplie de mesures fiscales et de subsides ont été mis en place pour venir en aide à cette industrie qui a pourtant créé son propre déclin.

Notre séjour sur un palangrier fut une expérience marquante, pour ne pas dire traumatisante. Nous avons partagé le quotidien de ces pêcheurs et avons pu échanger franchement sur les perspectives de leur profession. Selon eux, il est déjà trop tard. De père en fils, ils ont tout appris du métier. Aujourd'hui, inquiets, ils se questionnent sur l'avenir de leurs enfants. La tradition sera définitivement rompue au cours de la prochaine génération.

Pendant des années, nous avons surexploité les stocks de poissons de la planète sans nous soucier des conséquences à long terme. Nous avons modernisé les flottes de bateaux, mis la technologie au service de l'industrie de la pêche commerciale pour trouver toujours plus de poissons et atteindre des sites inaccessibles auparavant. Nous avons détruit les habitats sans réfléchir, quadrillé la mer de filets dérivants et de longues lignes, pour capturer davantage, le plus rapidement possible et sans discernement. Puis, quand les arrivages ont commencé à diminuer, nous avons fait évoluer les marchés pour offrir de nouvelles espèces à consommer, principalement en raison de la rareté des stocks de poissons traditionnellement vendus sur les étals des supermarchés. Nous avons ciblé les plus petits, ceux qui servent à nourrir les gros, puis nous nous sommes étonnés de la lenteur de la reconstruction des stocks. La gestion des ressources de nos océans souffre encore d'une vision à trop court terme.

Une étude récente de l'Université de la Colombie-Britannique propose certaines pistes de solutions. Selon les chercheurs, il est essentiel de réduire de façon importante les subventions à toute forme de pêche non durable, ce qui entraînerait automatiquement une diminution du nombre de bateaux, et donc de l'effort de pêche. L'étude prévoit une indemnisation financière pour les pêcheurs, le temps que les stocks se reconstituent. L'ensemble des mesures proposées pour réparer les dommages causés aux océans a toutefois un prix : 292 milliards de dollars et des périodes de reconstruction des populations qui pourraient atteindre jusqu'à 30 ans dans certains secteurs.

On parle ici d'un investissement pour les générations futures, puisque les coûts de cette mesure seraient récupérés en 12 ans à peine, et le retour sur l'investissement aurait triplé d'ici 50 ans. Parions toutefois que cette étude, qui propose des solutions à long terme, sera tablettée à la suite des pressions des grandes entreprises qui contrôlent l'industrie de la pêche et le marché. Pendant ce temps, nous continuerons de consommer plusieurs poissons exploités de façon non responsable, sans trop nous rendre compte de la portée de nos gestes ni trop nous soucier de l'avenir de nos ressources halieutiques.

Après une semaine à bord du palangrier, nous sommes rentrés, épuisés, dégoûtés, mais contents d'avoir pu comprendre un peu mieux le défi considérable auquel nous faisons face. Alors que nous sommes attablés autour du repas du soir, le chef nous propose du poisson frais ! Non merci, pas ce soir, chef, ni demain. Nous devons d'abord digérer tout cela...

AUJOURD'HUI, LES PÊCHEURS RECHERCHENT LES REQUINS, QU'ILS CONSIDÈRENT COMME ESSENTIELS À LA RENTABILITÉ DE LEURS OPÉRATIONS. CE QUI N'ÉTAIT QU'UNE PRISE ACCIDENTELLE EST DEVENU UNE SOURCE RÉELLE DE REVENUS.

Le Banc d'Argent

La route tracée et l'horaire prévu pour notre tour du monde en voilier ne concordaient pas toujours avec le calendrier des espèces que nous voulions documenter. Souvent, pour respecter les cycles de vie des différents animaux, il fallait délaisser *SEDNA* pour rejoindre les pays ciblés par nos programmes d'études. Ce fut le cas pour notre mission en République dominicaine, là où les baleines à bosse se regroupent en hiver pour se reproduire et donner naissance aux baleineaux.

Nous avons nolisé un bateau, signé les permis avec les autorités de la réserve et sommes partis rejoindre le Banc d'Argent, un haut-fond situé à environ 90 kilomètres au large des côtes.

Nous avons volontairement choisi la fin de la saison de reproduction de l'espèce en espérant pouvoir suivre le déplacement des baleines lorsqu'elles quittent le secteur, en route vers les différents sites d'alimentation. Les baleines à bosse qui se regroupent ici en hiver viennent d'un peu partout, de la côte est des États-Unis, du Canada (Terre-Neuve et le golfe du Saint-Laurent), mais aussi de l'Islande, du Groenland et de la Norvège. Ce rassemblement annuel des rorquals à bosse permet un heureux mélange des gènes lors des spectaculaires activités de reproduction, où les mâles entreprennent de furieux combats entre eux pour obtenir les faveurs d'une femelle.

Le Banc d'Argent est peu profond, 20 mètres en moyenne, ce qui en fait une aire de repos appréciée des baleineaux, qui devront tout apprendre très vite. Les jeunes mesurent environ quatre mètres à la naissance et affichent déjà un poids de 700 kilogrammes. La croissance des jeunes est telle qu'ils ne semblent pas contrôler parfaitement leur espace quand ils vous approchent et tournent subitement pour vous

IL FAUT SAVOIR RECONNAÎTRE NOTRE PETITESSE DEVANT SI GRAND ET NE RIEN IMPOSER. TOUT SE VOIT, SE RESSENT ET SE TRADUIT DANS LE SIMPLE ÉCHANGE DES REGARDS.

éviter, à quelques mètres de vous. La queue paraît soudainement trop longue pour la manœuvre et les erreurs dans le calcul des distances provoquent parfois des contacts inappropriés. J'ai toujours essayé d'éviter de toucher les baleines lors de ces rencontres en plongée. Je n'aime pas le sentiment de dressage ou d'apprivoisement des animaux. Ici, nous ne contrôlons rien, nous ne sommes rien dans les profondeurs du grand bleu, et c'est très bien ainsi. J'apprécie le privilège de faire partie de leur monde, pour un instant, et j'essaie plutôt de me faire accepter dans leur univers. Il faut savoir reconnaître notre petitesse devant si grand et ne rien imposer. Tout se voit, se ressent et se traduit dans le simple échange des regards. Quand une baleine vous fixe de son œil inquiet, il faut respecter sa crainte. Alors, je ne bouge plus. J'attends. Je m'offre en cible et je la laisse décider de la suite des événements. Souvent, la curiosité est à l'origine de la rencontre.

Nous nous sommes mis à l'eau vers neuf heures ce matin-là et avons immédiatement établi un premier contact. Il faut aussi savoir reconnaître le caractère individuel de nos hôtes. Chaque rencontre est différente et chaque baleine réagit à sa façon en présence d'un être humain. Certaines fuient, d'autres cherchent le contact. Ce jour-là, sans trop savoir pourquoi, une femelle et son baleineau nous ont approchés à plusieurs reprises. Paisiblement, sereinement, à des distances qui donnent des frissons, heureux mélange de fascination et de crainte devant la masse impressionnante de ces mastodontes des mers. L'escorte, un gros mâle prévoyant qui accompagne la femelle, restait en retrait, mais il ne nous lâchait pas des yeux. Son rôle est de protéger la femelle qu'il courtise. Hypnotisés par la proximité complice de nos nouveaux amis, nous allions quand même conserver un œil sur lui.

Le baleineau était particulièrement curieux. Il nous frôlait, un peu maladroitement, puis repartait s'installer sous le ventre de sa mère. Quand il devenait trop téméraire dans ses approches, elle venait le chercher, calmement, prenant bien soin d'imposer son impressionnante nageoire pectorale à quelques centimètres de nos visages perplexes, un signal fort et clair pour délimiter notre territoire d'accès.

Les rencontres se sont succédé, toujours avec la même curiosité réciproque. Les baleines étaient là, se déplaçaient à peine et venaient régulièrement nous frôler du regard. Après plusieurs heures à partager leur univers, nous sommes remontés dans le bateau et avons décidé de quitter le secteur. Nous étions conscients de la chance immense que nous avaient procurée ces instants de pure félicité et, peut-être par respect, nous avons préféré les laisser à leur monde de géants. J'ai probablement effectué près de 1 000 plongées en apnée avec les baleines dans ma vie, surtout durant mes années de recherche scientifique avec l'Université d'Hawaï. Jamais je n'avais vécu une telle intimité avec elles.

Nous avons immobilisé l'embarcation loin du site et avons laissé du temps au temps. Il fallait apprécier le privilège de ces instants passés en compagnie de nos derniers géants. Nous venions d'être touchés par quelque chose de grand.

Puis, sans prévenir, un souffle puissant nous a sortis de notre état contemplatif. Elles nous avaient suivis ! Elles étaient là, à quelques mètres à peine de notre bateau, tournant autour de nous, comme une invitation à les rejoindre dans leur univers. J'ai d'abord pris mon appareil photo. Je voulais immortaliser ce moment unique, cette rencontre qui marque une vie de biologiste à tout jamais. C'est à cet instant qu'il est sorti, l'escorte, le gros mâle qui se manifestait à son tour. Jaloux, peut-être ? Il a jailli hors de l'eau, comme une fusée, un saut caractéristique de l'espèce, sans doute pour signaler sa présence, pour impressionner, pour en imposer. J'ai actionné le moteur de mon appareil et j'ai immortalisé la scène. J'allais pouvoir savourer cet instant pour le reste de mes jours, revivre ces minutes de grâce avec cette série d'images qui prenaient soudainement une signification particulière.

J'avais des milliers de photos du genre, mais celles-ci allaient raconter une histoire, un moment de ma vie inspirant et éternel.

Nous nous sommes regardés, mes collègues et moi, puis nous avons souri, comme si tout était simplement parfait en cette journée de retrouvailles entre vieux complices de la mer. Sans mot dire, nous avons enfilé masques, palmes et tubas avec calme et une certaine lenteur. Durant tout ce temps, les baleines sont demeurées à proximité du bateau, comme si elles attendaient notre retour. Nous avons glissé doucement le long de la coque et avons rejoint nos curieux amis dans leur monde.

Le baleineau semblait attendre ce moment. Il est venu dans notre petit groupe, s'est faufilé entre nous, tellement près qu'il a fallu reculer pour l'éviter. La mère aussi est arrivée, majestueuse mais déroutante, avec ses 40 tonnes de puissance et de grâce qui se glissaient entre nos petits corps presque inquiets. L'adrénaline était à son comble, surtout quand nous nous sommes retrouvés au-dessus de la femelle, à moins d'un mètre de son dos, large, imposant, impressionnant. Il ne fallait

pas paniquer, ne pas bouger. Elle savait parfaitement ce qu'elle faisait, dans un contrôle total. Elle a glissé sous le groupe, lentement, sans jamais nous toucher. Puis elle est repartie, entraînant son baleineau à sa suite.

La série de rencontres privilégiées aura duré près de cinq heures !

Ce jour-là, tout était parfait, comme une combinaison de facteurs qui créait une certaine apothéose du moment, comme si nous nagions en plein songe, une illusion, un mirage, une utopie de biologiste qui suspend le temps et sa réalité. Si ce n'était qu'un rêve, alors je ne voulais plus me réveiller. Je garderai en souvenirs précieux cette réunion exceptionnelle, ce petit moment d'éternité qui ne pourra jamais se perdre ou mourir, malgré le temps ou les tourments.

Le plastique des océans

L'humanité, quand elle se mobilise, peut accomplir de grandes choses. Nous venions d'en avoir la preuve après avoir partagé le monde fascinant des baleines, au large de la République dominicaine. Nos rencontres privilégiées avec les rorquals à bosse dans leur univers sous-marin ont marqué à tout jamais notre petite histoire, comme une manifestation de réconciliation entre deux espèces au passé pourtant éclaboussé par le sang des carnages d'une autre époque. Chassées jusqu'au seuil de l'extinction, les populations de baleines à bosse sont aujourd'hui en pleine explosion démographique un peu partout sur la planète, résultat d'une mobilisation populaire sans précédent, qui a mené à l'instauration d'un moratoire pour en interdire la chasse. Il s'agit sans doute d'une des plus importantes victoires de l'humanité contre l'ignominie des hommes, usurpateurs des océans qui ont trop longtemps pensé que la mer représentait un bassin illimité de ressources naturelles à exploiter.

À part certaines impostures pour contourner les règles internationales, nous pouvons nous réjouir de ce triomphe mondial en matière de conservation. La protection des baleines représente une grande réussite, un chapitre édifiant de l'histoire de l'humanité qui prouve que nous pouvons évoluer, que nous sommes capables de modifier nos comportements. La réconciliation avec la nature est possible, et le changement des mentalités peut s'élever au-dessus du simple intérêt économique.

Un nouveau défi environnemental d'envergure doit être relevé. Une problématique globale qui touche la majorité des océans de la planète et qui est devenue une menace pernicieuse et préjudiciable pour le patrimoine écologique mondial: le plastique. On estime

que plus de 150 millions de tonnes de déchets flottent sur les océans. Du point de vue de la masse, si rien n'est fait rapidement, il y aura plus de plastique que de poissons en 2050 ! Selon une étude récente du Forum économique mondial, au moins huit millions de tonnes de déchets sont déversées dans les mers chaque année, soit l'équivalent du contenu d'un camion-poubelle jeté dans l'océan chaque minute. Et si aucune mesure pour lutter contre ce fléau n'est mise en place rapidement, cette mesure doublera en 2030, jusqu'à atteindre des volumes toujours plus importants et dévastateurs.

Ces déchets sont transportés par les vents et les courants marins, et ils s'agglutinent sous l'effet des mouvements giratoires océaniques, créant ainsi des zones d'accumulation en haute mer. Les médias ont souvent fait référence au fameux « continent de plastique », aussi surnommé le « septième continent », dont la taille atteint près de 3,5 millions de km². En réalité, on devrait parler davantage d'une soupe de déchets plutôt que d'un continent, puisque la majorité du plastique se dégrade en très fines particules qui flottent dans la colonne d'eau. Ce que l'on peut observer en surface n'est en fait que la pointe minuscule de l'iceberg de nos consommations. On estime que 80 % de ces ordures flottantes arrivent des terres, portées par les vents et les rivières qui se jettent à la mer. Une catastrophe.

Après une année de négociations et de pourparlers avec les autorités américaines, nous avons obtenu la permission d'envoyer une équipe réduite sur l'atoll de Midway, petite île paradisiaque isolée au nord-est d'Hawaï. Une destination perdue, située à 2 000 milles marins des côtes. Une réserve faunique sous haute surveillance, une des composantes du site du patrimoine mondial et monument national marin de Papahānaumokuākea.

À CHAQUE SAISON DE NIDIFICATION, PLUS DE CINQ TONNES DE DÉCHETS DE PLASTIQUE SONT IMPORTÉES SUR L'ÎLE PAR LES PARENTS ET SERVIES DIRECTEMENT DANS LE BEC DES OISILLONS.

Un jet nolisé nous attendait. Nous allions faire le voyage avec quelques biologistes qui étudient les albatros de Laysan, une espèce menacée, qui nichent en grand nombre sur l'île. C'est un vol de nuit, car aucun avion n'est autorisé à atterrir en plein jour, en raison des risques importants de collision avec les oiseaux. Près de deux millions d'albatros ont choisi l'atoll de Midway pour élever leurs jeunes. Les oisillons dépendent de la nourriture rapportée par les parents durant cette longue période de sevrage (environ 160 jours). Malheureusement, Midway se trouve à proximité de la gyre du Pacifique nord, au même endroit que ce fameux « continent » de plastique. Les parents confondent souvent les déchets de plastique qui flottent en surface avec des calmars ou autre nourriture recherchée par les albatros. Chaque saison de nidification, plus de cinq tonnes de déchets de plastique sont importées sur l'île par les parents et servies directement dans le bec des oisillons.

Au réveil, les albatros étaient partout ! Au sol, dans le ciel, absolument partout ! John, un des biologistes du refuge, tenait à nous présenter Wisdom, peut-être la

femelle la plus connue de tous les albatros de Laysan. On a équipé l'oiseau avec une première bague d'identification en 1956. On pense qu'elle a vu le jour en 1951. Elle a donc célébré son 65ᵉ anniversaire en 2016 ! Wisdom est de retour chaque année à son lieu de nidification et continue à pondre un œuf annuellement. Le mâle du couple, toujours le même, la rejoint aussi chaque année. Les albatros établissent des liens serrés qui ne seront rompus qu'en cas d'échecs de nidification répétés. Personne ne connaît la longévité maximale de l'espèce, mais Wisdom continue d'accumuler les années au compteur, à la grande joie des scientifiques, et de John qui célèbre son arrivée chaque année.

Mais la vie battait aussi de l'aile sur l'île. Des cadavres d'oisillons jonchaient le sol, alors que d'autres souffraient en silence, affaiblis, déshydratés. Certains parents tentaient de régurgiter leur pitance dans le bec des poussins, mais en vain. Ils ne ressentaient pas la faim, l'estomac sans doute rempli de déchets qui occupaient déjà tout l'espace. Nous avons pratiqué une série d'autopsies pour vérifier le contenu stomacal des oisillons décédés. Le spectacle était irréel. Nous avons retrouvé des briquets, des bouchons de plastique, des flotteurs pour retenir les lignes de pêche fréquemment utilisés en Asie, des jouets, des ampoules électriques, des cartouches de fusil et même des brosses à dents ! Parmi le lot d'objets sinistres, des morceaux de

sac de plastique, ces fameux sacs utilisés pour transporter nos achats, tristes effigies universelles de notre consommation, que nous avons vus flotter un peu partout durant toutes nos missions. Tout ce plastique a été servi sous forme de repas, directement dans le gosier de ces oiselets, qui n'ont pas été en mesure de régurgiter ces ordures rapportées par leurs parents.

Ces grands planeurs survolent les océans à la recherche de leurs proies. Du haut des airs, quand ils distinguent une prise potentielle à la surface, ils se précipitent et plongent, le bec grand ouvert pour gober l'objet. Le réflexe de chasse est parfait et bien adapté, mais les proies ont changé… Pour les adultes, ces objets en plastique représentent de la nourriture. Dans leur cervelle d'oiseau, il n'y a pas encore de mécanisme de défense pour les protéger contre les déchets qui se trouvent au large. Ils confondent le briquet ou le petit flotteur surnageant avec le calmar ou le poisson.

Ces corps étrangers occupent beaucoup d'espace dans l'estomac des jeunes albatros et inhibent le réflexe de la faim. Les poussins ne demandent plus leur ration aux parents, en picorant la base du bec des adultes. Sans cette nourriture fraîche prédigérée, ils sont privés de liquides et meurent lentement de déshydratation. Certains objets aux coins acérés peuvent aussi perforer leur estomac, provoquant leur mort rapide.

Pour montrer l'ampleur des déchets qui flottent en surface, John nous a fait visiter une petite île non loin de la principale. Sur les plages, des tonnes et des tonnes de détritus se sont accumulés. Ceux-ci n'ont pas été apportés ici par les albatros. On retrouve des cordages, des bouées de la taille d'un ballon, des souliers et toutes sortes d'objets hétéroclites beaucoup trop gros pour le gosier d'un albatros. Ces objets ont été transportés à cet endroit par le tsunami créé à la suite au tremblement de terre du 11 mars 2011, au Japon. D'une magnitude record de 9, cette catastrophe a généré des vagues de plus de 10 mètres de hauteur. Ces lames d'eau se sont propagées jusqu'ici, transportant avec elles des tonnes de déchets. Les albatros nichent aujourd'hui au milieu de ce champ de rebuts de nos villes.

Midway est pourtant complètement isolé du reste du monde. La variété d'oiseaux nicheurs est impressionnante, et le spectacle de la nature s'offre en une variété de tableaux éblouissants. Durant notre passage sur l'île, des frégates superbes se faisaient la cour, peut-être comme une démonstration de résilience qui montre que la vie s'accroche toujours, malgré les malheurs que nous infligeons à cette nature.

Nous sommes revenus sur l'île principale, ébranlés par ce cancer pernicieux qui se développe au cœur des océans. La problématique dépasse le simple constat dramatique de cette île perdue. Sur la plage, des bénévoles s'activent à ramasser les gros détritus rapportés quotidiennement par la mer. Leurs efforts sont louables, bien sûr, mais personne n'arrivera à nettoyer les océans de ce qu'on ne voit pas, de ces trillions de minuscules particules qui flottent entre deux eaux. Je me suis penché pour analyser cette plage aux apparences de paradis. Sur le sable blond, une ligne d'eau formée par les vagues en échouage marque le sol. En regardant bien, on mesure la catastrophe ! Des milliers de petites particules de toutes les couleurs, microscopiques. Du plastique, partout, transporté par le simple mouvement ondulatoire de l'océan. Une trace de nos villes, véhiculée jusqu'aux limites de notre occupation, signée dans le sable par des fragments discrets et colorés, presque jolis.

Nous avons retrouvé le *SEDNA* dans l'océan Atlantique, loin de ce continent de plastique de l'océan Pacifique connu du public. Nous avions rendez-vous au large des Bermudes avec les scientifiques du Woods Hole Oceanographic Institution de Boston. Sur les flots d'une mer azur, nous avons navigué en compagnie du grand voilier SSV *Corwith Cramer*, une magnifique brigantine, un voilier-école spécialisé en recherche océanographique.

Depuis plus de 20 ans, la Sea Education Association forme ces étudiants à prendre des relevés océanographiques dans l'Atlantique. C'est un peu par erreur qu'ils ont été les premiers à prouver l'existence d'un autre « continent » de plastique, dans l'Atlantique. Les équipages de l'époque voulaient surtout prélever du plancton. Puis, dans les filets, les chercheurs se sont mis à observer de petites particules de plastique. Avec rigueur, ils ont documenté et compté chaque fragment, et ce, depuis plus de 20 ans !

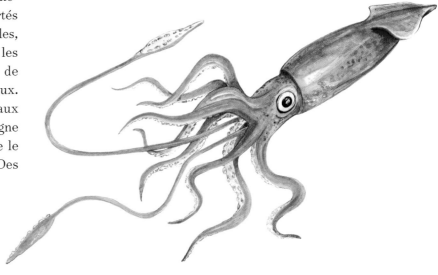

Nous avons répété l'exercice avec eux. À première vue, rien d'extraordinaire. Il y avait bien quelques petits morceaux çà et là, mais rien comparativement aux descriptions faites dans les publications scientifiques. Puis, nous avons scruté à la loupe le contenu de notre filet. Elles étaient bien là, ces minuscules particules d'à peine quelques millimètres de longueur. Et elles étaient très nombreuses, fragmentées, morcelées, déchiquetées. Nous étions bel et bien au cœur de cette zone qui ressemble davantage à une soupe de plastique qu'à un continent. Et c'est bien là tout le problème. Comment voulez-vous retirer ces milliards de particules à peine visibles à l'œil nu ? On ne peut passer l'océan à travers un immense tamis, qui tuerait inévitablement toutes les autres formes de vie planctoniques. Cet agrégat de rebuts s'étend sur des milles et des milles. À vrai dire, les relevés des 20 dernières années n'ont pas encore réussi à trouver la limite est de cette bouillie de particules. « À certains endroits, les concentrations peuvent atteindre jusqu'à 200 000 particules par kilomètre carré », nous affirmait Erik Zettler, un des professeurs associés au programme du *Corwith Cramer.*

Oui, malheureusement, l'océan Atlantique a aussi son « continent » de plastique, découvert récemment, et dont les concentrations s'apparentent à celui situé au nord-est d'Hawaï, dans le Pacifique. Ici, à nos portes, à quelques jours seulement de navigation de notre golfe du Saint-Laurent, chez nous, dans notre cour arrière ! Il s'agit bien de notre plastique, celui des Amériques et de l'Europe. On en parle peu, comme on ne mentionne pas non plus les trois autres gyres océaniques qui accumulent le plastique dans les autres océans de la planète. Cinq zones d'accumulation, cinq territoires où se concentrent les déchets de nos villes !

Pourtant, ce défi de conservation et de protection est à notre portée. Une meilleure gestion de nos rebuts pourrait enrayer une grande partie du problème. On ne parle pas ici de transformer la composition de l'atmosphère ou d'inventer une technologie révolutionnaire. Un simple effort pour contenir nos déchets sur nos terres serait déjà un premier pas considérable pour limiter la propagation de ce plastique qui met des milliers d'années à se dégrader.

Sur les flots d'une mer d'azur, nous avons poursuivi notre route sachant maintenant que, sous la coque de notre voilier se cachait une autre preuve irréfutable de notre indifférence.

Ces minuscules particules fabriquées à partir du pétrole finiront par devenir instables avec le temps et elles dégageront des produits toxiques. Elles seront consommées accidentellement par les oiseaux, les poissons et autres organismes de la chaîne alimentaire, ces mêmes animaux que nous mangeons à notre tour. C'est le retour du balancier. Le petit sac de plastique qui a servi à emballer le poisson du supermarché, et qui s'est envolé au vent par négligence, nous revient transformé, incrusté dans la chair de ce prochain poisson que nous emballerons de nouveau, avant de le consommer.

La soupe toxique produite par les déchets de nos villes est donc à notre menu quotidien, et elle nous est resservie sous plusieurs formes, dans notre assiette. Un petit sac avec ça ?

Rien ne va plus

La mission se déroulait à bon rythme. À chaque nouvelle escale, nous documentions des problématiques environnementales criantes. La collaboration avec des scientifiques dévoués, qui accumulaient des preuves irréfutables des démesures de nos sociétés, nous redonnait espoir, mais leur travail restait trop souvent dans l'ombre, et ils n'étaient pas assez nombreux. Les cultures se succédaient, sans que nous puissions trouver un certain réconfort dans nos esprits, affectés par tant d'abus, d'injustices et d'impostures environnementales. Nous avions des alliés un peu partout sur cette planète, mais force était d'admettre que nous étions en minorité, que le marchandage des ressources naturelles atteignait des proportions abusives et irresponsables qui allaient compromettre l'avenir de la vie sur la Terre.

Nous avons collaboré à une étude importante sur le dénombrement des paresseux nains sur l'île d'Escudo de Veraguas, un hameau perdu au Panama. La sous-espèce, récemment découverte, est en danger critique d'extinction, et nos études télémétriques ont permis de trouver de nouveaux habitats utilisés par les paresseux, ce qui constituait une excellente nouvelle. Mais rapidement, nous avons été confrontés à des braconniers sans scrupules qui, loin de tout, exploitaient les ressources de l'île sans remords et sans gêne. Pourquoi faut-il que la grisaille suive toujours la lumière et l'espoir ?

Au Costa Rica, nous avons traqué les jaguars menacés par des trappeurs illégaux qui, sans honte et sans regret, affichaient leur prise sur les réseaux sociaux, une magnifique panthère décapitée, dont la peau allait être vendue pour une bouchée de pain. Sur les plages, nous avons assisté à la ponte des tortues luths

UNE NOUVELLE CICATRICE
À CHAQUE ESCALE,
UN AUTRE COUP AU CŒUR
ET À LA RAISON DEVANT
TANT D'INSENSIBILITÉ ET
D'INDIFFÉRENCE.

au destin sombre comme la nuit. La récente hausse des températures va probablement changer le taux de masculinité chez les tortues, et tout se joue à quelques degrés près. Une augmentation de la température d'incubation produit davantage de femelles. Ce phénomène déjà problématique risque de prendre une ampleur catastrophique pour l'espèce puisque, si le mercure bondit d'encore deux ou trois degrés, les œufs deviendront stériles. Trop chaud !

Aux îles Galápagos, nous avons assisté à l'extinction d'une espèce quand Georges le solitaire, dernier représentant de son groupe de tortue géante, est décédé. Avec la mort de « Lonesome Georges », comme l'avaient surnommé les médias, c'était toute une lignée qui venait de s'éteindre. La triste nouvelle avait rapidement fait le tour du monde, mais au lendemain de sa disparition, on ne parlait déjà plus de lui, ni de son espèce à tout jamais éteinte, ni du sort incertain de tous ces animaux qui figurent toujours sur la trop longue liste rouge des espèces en voie de disparition.

Sur l'île Cocos, au large du Costa Rica, nous avons fait la chasse aux pêcheurs véreux qui pénétraient dans les limites de la réserve marine. Nous avons capturé des tortues et des requins menacés par ces pratiques clandestines, installé des émetteurs satellites pour mieux connaître leurs routes migratoires et tenté de convaincre les autorités locales de faire respecter leurs propres lois. Nos efforts n'ont jamais porté leurs fruits. Les illégaux étaient protégés par la corruption et l'argent d'une mafia organisée, qui profitait des largesses d'un système pourri pour s'enrichir sur le dos des ressources de la mer.

En Polynésie française, nous avons constaté la mort tragique des coraux qui étouffent sous une chaleur nouvelle. Les tempêtes et les cyclones, plus puissants qu'avant, ont aussi fait des ravages importants au sein de ces habitats essentiels pour les poissons. Les couleurs resplendissantes des fonds marins, qui attiraient les touristes du monde entier quand ce monde bourgeonnait de vie, étaient dorénavant remplacées par la blancheur blafarde de la lente agonie des profondeurs. Au fond, loin des regards, cela sentait de plus en plus la mort.

Les fiascos se multipliaient durant cette longue mission sur les océans de la planète, et nos constats n'avaient rien de réjouissant. Nous arrivions à bien documenter les drames, les abus et les fraudes environnementales, mais nos mots et nos images ne suffisaient pas. Une nouvelle cicatrice à chaque escale, un autre coup au cœur et à la raison devant tant d'insensibilité et d'indifférence. La tragédie silencieuse de nos océans transformait peu à peu notre quête en illusion. Où étaient passées les notions fondamentales de bien commun ? N'étaient-elles que des chimères de l'esprit, emportées par ces vents contraires qui nous rançonnaient à chaque détour d'expédition ? Il fallait poursuivre la mission, mais chercher d'urgence des modèles d'harmonie avec la nature si nous voulions entretenir l'espérance.

Il devait bien y avoir un endroit sur cette planète où les humains vivaient en symbiose avec la nature, où l'appât du gain n'avait pas préséance sur le respect et la révérence envers les autres formes de vie avec qui nous partageons cette Terre en déclin. Peut-être fallait-il remonter le temps pour trouver une société qui n'avait pas encore goûté aux saveurs de l'argent, phénomène de dépendance qui altère trop souvent le jugement et nos réflexes de parité. Nous avons mis le cap vers l'espoir, vers une petite île loin de tout, et surtout loin de nous.

L'île du bonheur

Anuta, une île minuscule et perdue, loin, très loin au large de nulle part, à environ six jours de navigation de Honiara, la capitale des îles Salomon. On dit que c'est sans doute l'une des communautés les plus isolées de la planète. Les échanges avec les autres insulaires du Pacifique ne sont pratiquement pas possibles. Un bateau leur procure le seul lien tangible avec le reste du monde, mais il ne fait ce long voyage qu'une fois par année, s'il n'y a pas trop d'imprévus et si les conditions de navigation sont idéales. En fait, rien n'est moins certain, et c'est pourquoi les Anutains n'ont jamais trop compté sur sa présence.

À première vue, les habitants d'Anuta peuvent paraître peu nombreux avec une population d'environ 350 individus. Mais quand on considère la petitesse de leur île, moins de ¼ de mille carré (ou 0,65 kilomètre carré), tout prend une autre proportion. La densité sur Anuta est ainsi l'une des plus élevées sur la planète, comparable à celle du Bangladesh.

Ils ont appris à vivre en complète autarcie, et leur survie dépend de l'utilisation judicieuse et respectueuse des ressources de l'environnement, et ce, depuis plus de 400 ans !

L'anthropologue Richard Feinberg nous accompagnait pour cette grande aventure. Il fréquentait cette communauté depuis les années 1970, et il avait même séjourné une année complète sur l'île pour réaliser sa thèse de doctorat. Il parlait la langue locale et il allait devenir notre précieux guide dans cette expérience humaine exceptionnelle. Dans l'histoire contemporaine, nous n'étions que la quatrième équipe admise sur l'île, un privilège qui comportait aussi son lot de responsabilités. Le Dr Feinberg ne pouvait rien garantir. Il fallait encore se faire accepter par le clan et son chef avant de sortir nos caméras indiscrètes.

Durant le long transit, il nous apprenait les rituels et les démonstrations de respect à appliquer une fois sur l'île. Certains cérémonials avaient de quoi étonner, mais nous consentions à jouer le jeu des traditions sans remettre en question la signification réelle de ces coutumes. L'anthropologue insistait sur l'importance de la première rencontre, de ce premier contact avec le chef de clan qui allait être déterminant pour la suite de notre séjour. Nous devions ramper jusqu'à lui en gardant la tête baissée, puis embrasser son genou. S'il acceptait notre présence, le chef allait remonter notre visage au niveau du sien et nous honorer selon les coutumes locales. Le professeur nous décrivait la façon unique de saluer chez les Anutains. Nous devions coller notre nez contre la joue de notre hôte et humer un grand coup. Nous nous sommes entraînés pendant un bon moment à la timonerie, attirant les regards suspicieux des autres membres d'équipage.

Après une semaine de navigation, l'île était là, comme un grand vaisseau perdu au milieu du Pacifique. Une petite embarcation est rapidement venue à nous pour nous inviter à fouler le sol de ce paradis. J'ai pris place à bord du canot traditionnel et me suis laissé guider jusqu'à la plage, où nous attendaient des gens souriants, affectueux et heureux de nous accueillir. L'anthropologue reconnaissait parfois quelques vieux amis, mais la plupart de ses anciennes connaissances avaient déjà quitté ce monde. L'espérance de vie n'est pas très longue au sein de cette communauté qui refuse toujours la médecine moderne et ses traitements.

Le grand chef semblait toutefois en assez bonne forme. Personne ne pouvait évaluer son âge exact. C'était déjà un adulte d'un certain âge au moment où il avait accueilli et adopté le professeur en 1972. On disait qu'il était plus que centenaire, mais il avait gardé une certaine vivacité d'esprit et un sens de l'humour qui rendaient cette première rencontre agréable et précieuse. Assistés par la traduction du Dr Feinberg, nous avons fraternisé, selon les traditions, et il a immédiatement ouvert le dialogue, nous bombardant de questions. Je l'ai interrogé sur les changements environnementaux observés depuis toutes ces années. Il me racontait que les grandes famines d'autrefois avaient disparu depuis que les Anutains s'étaient convertis ! Je savais que des missionnaires anglicans avaient réussi, je ne sais par quels moyens, à s'implanter au sein de ce peuple isolé, en 1916, mais l'ancrage dans une religion si loin de leurs croyances ancestrales me dépassait. Il insistait toutefois sur les bienfaits de leur religion qui, selon lui, avait complètement transformé leurs vies. Il fit une pause dans son discours et me fixa un long moment. Il avait un

regard qui vous transperçait, malgré la nébulosité de ses cataractes. Il s'avança légèrement vers moi et me dit : « Si nous n'étions pas convertis, il y a longtemps qu'on vous aurait mangés ! » Le professeur baissa les yeux vers le sol immédiatement après la traduction. Le silence courait dans la hutte, comme mon malaise et mon embarras. Avais-je dit quelque chose qui l'avait froissé ? Avait-il senti mon scepticisme envers leur conversion religieuse ? Il regarda lentement vers le ciel puis... il se mit à rire à gorge déployée. L'anthropologue complice s'esclaffait tout autant. Cette plaisanterie improvisée, judicieusement mise en scène, confirmait notre acceptation parmi eux. Mon rire, jaune au début, venait de sceller notre amitié. Anuta allait devenir notre île et les Anutains, nos amis.

Grande cérémonie de bienvenue et d'intégration, repas traditionnels, chants polyphoniques, danses, rires à profusion, marches en forêt et jeux d'enfants ont agrémenté notre semaine d'échange et de partage. Ils nous ont enseigné leurs techniques de pêche, en nous embarquant sur leurs précieux canots, âgés de plus de 150 ans. La nuit, nous les avons entendus imiter les oiseaux marins, qu'ils capturaient à l'aide de grandes perches surmontées de filets. Nous avons travaillé la

terre avec eux et partagé les fruits de leur petit jardin communautaire. Chaque fois, sans qu'on leur demande, ils nous expliquaient l'importance de respecter la nature et ses ressources.

Pendant que nous, Occidentaux, écrivons des thèses théoriques sur le développement durable, d'autres, comme les habitants d'Anuta, n'ont d'autre choix que d'appliquer ces principes d'harmonie avec une nature qui leur fournit tous les ingrédients pour vivre, simplement, en prélevant l'essentiel des ressources de la mer et de la terre, sans abus. Oui, leur exemple était probant. Il était possible de consommer les fruits de la planète en conservant cet équilibre que la nature avait mis des millions d'années à peaufiner.

Ici, les valeurs de partage sont à la base de tout, selon un principe fondateur qui dirige toutes les activités du clan : l'Aropa. Toutes les tâches sont réparties au sein de la communauté et chacun travaille pour le bien commun.

Dans leur système sociétal, tout le monde est égal pour ce qui est des avoirs. En fait, la richesse, telle qu'on la conçoit dans nos sociétés dites modernes, ne veut rien dire sur Anuta. Leur fortune, ils la trouvent dans leur famille, dans ces enfants qui rayonnent,

dans cette façon de prendre le temps de vivre, de chanter, de danser. Jamais je n'ai croisé des enfants aussi heureux !

Je n'aurais sans doute pas échangé ma vie contre la leur, car mes racines étaient trop profondes et ancrées dans le sol de mes habitudes pour puiser ma sève dans celles des autres. Mais mes nombreuses missions à travers le monde m'avaient enseigné une règle universelle, incontestable et confirmée: peu importe nos cultures, nous sommes tous à la recherche du bonheur. Or, j'avais l'étrange impression que les Anutains y étaient presque, que la distance qui les en séparait n'était pas très grande, qu'ils avaient réussi à toucher à quelque chose d'indescriptible, de puissant et de serein. D'une certaine façon, je les enviais, et je cherchais les ingrédients à cette recette du bonheur.

J'avais constaté qu'ici l'harmonie s'exprimait dans le respect et le partage. Ils cultivaient la toute petite montagne qui réussissait à les nourrir depuis des générations et prenaient à la mer leurs simples besoins quotidiens. Comment une population de 350 personnes, qui vivait sur une île dont le diamètre ne faisait même pas un kilomètre, réussissait-elle à vivre sans abuser des ressources de son environnement ? Peut-être parce qu'elle avait simplement refusé, de manière instinctive, la notion de marché. On ne vendait rien sur Anuta. Il n'y avait pas d'argent en circulation entre les habitants. Il n'y avait ni magasin ni commerce. Le supermarché était la mer, ou la montagne. C'était sans doute un élément fondamental.

Du moment que l'on marchande un bien, et que l'on organise sa vente en système, on implante une notion économique arbitraire qui détermine la valeur d'un produit. Or, c'est la demande — ou le marché — qui dicte les prix. On cultive alors davantage pour vendre ses surplus. Ou on surpêche pour revendre à d'autres, aux plus offrants. Sur Anuta, on a toujours refusé ce système. Tout est gratuit et tout est là. Et il en allait en être ainsi tant qu'on allait exclure et repousser cette notion de marché. Juste pour cette décision, pour ce refus de participer au système mondial, ils avaient déjà toute mon admiration.

Une grande cérémonie avait été organisée pour souligner notre départ de l'île. Vêtus de costumes traditionnels confectionnés spécialement pour nous, et maquillés selon les coutumes, nous devions emprunter tous les sentiers de l'île au son des chants ancestraux pour marquer chaque parcelle du territoire de notre présence. C'était dorénavant notre île et elle allait toujours être là pour nous. Cette tradition ne faisait pas de nous des propriétaires, puisqu'on ne possède pas la nature. Les Anutains aussi ne sont que des occupants éphémères d'une terre empruntée. Tous les habitants de l'île participaient à la grande marche. Au retour, un festin nous attendait. Il fallait visiter chaque famille et partager le repas avec eux.

Au terme du repas, Joseph, un de nos guides qui avait vécu quelques années en ville et qui baragouinait un anglais respectable, nous a demandé une faveur. La communauté avait manifesté le désir de regarder un film ! J'avais des réticences. Nous ne voulions pas intoxiquer nos amis avec les artifices de nos sociétés modernes. Nous avons demandé conseil au Dr Feinberg. Il nous a expliqué que les Anutains connaissaient le cinéma, tout comme la valeur de l'argent et plusieurs objets de notre quotidien. Ils connaissaient tout ça, mais ils avaient fait le choix de ne pas transgresser

leurs valeurs traditionnelles avec certains artifices modernes. Il nous conseilla de répondre favorablement à leur demande.

Qu'allions-nous bien pouvoir leur présenter ? C'était des gens de la mer, des insulaires, et j'ai décidé de leur montrer un film de bateau, qui évoquait une certaine époque. *Maître à bord : de l'autre côté du monde.* Au bout de quelques minutes, j'ai senti un manque d'intérêt. Ils ne semblaient pas s'identifier à ces images d'étrangers dans leurs costumes bizarres. J'ai interrompu la projection pour présenter des extraits de nos films. On nous voyait nager avec des poissons, puis avec des baleines, et on capturait même des requins ! Les yeux des enfants brillaient. Ils étaient émerveillés devant ces animaux familiers. Russell Crowe et son équipage pouvaient aller se rhabiller...

La séance cinéma fut interrompue par une étrange mélodie. Au son de bâtons frappés contre une sorte de caisse de résonance, on nous a invités à nous joindre à une danse particulière. Le rythme s'accentuait à mesure que le refrain répétitif devenait de plus en plus endiablé. Plus la cadence augmentait, plus les Anutiens dansaient rapidement. Ils entraient presque en transe, menés par l'énergie intense de cette chorégraphie populaire. Une étrange charge émotive s'extériorisait en crescendo. Les chants se transformaient presque en cris et ils étaient parfaitement synchronisés. On aurait dit une *rave party !*

La journée tirait à sa fin et le temps des adieux était arrivé. On nous avait prévenus qu'une séance particulière allait avoir lieu, une vieille tradition qui permettait d'évacuer la peine et la douleur de la séparation. On nous a installés au centre de la place, entourés de nos 350 amis. Il régnait soudainement une ambiance lourde, presque funèbre. Le silence de cette fin de jour dressait la table des émotions à venir. Lentement, leurs yeux sincères se sont embrouillés et ils se sont mis à pleurer. Doucement au début, jusqu'à ce que les lamentations se fassent plus bruyantes. Nous pouvions ressentir la souffrance, la douleur profonde qui s'exprimait dans ces gémissements de plus en plus forts. La séance de sanglots collectifs a duré plus de 30 minutes. Tous les habitants extirpaient bruyamment leur peine de nous voir quitter leur vie. Un supplice, un calvaire de regarder nos amis éprouver pareil chagrin, de les découvrir dans un tel état d'accablement. Bouleversés, nous avons aussi exprimé notre souf-

france jusqu'à ne plus avoir de larmes. Avoir plus de 300 personnes qui pleurent devant vous, pendant de longues minutes, vous arrache le cœur. Cette façon d'extérioriser sa peine en groupe est thérapeutique et elle s'inscrit dans les grandes traditions des Anutains. À n'en pas douter, ces séances de délivrance collective sont toujours aussi puissantes et troublantes, malgré nos différences.

Nous avons quitté nos amis, presque dans la joie et avec une certaine légèreté. Il nous fallait maintenant remonter le temps et rejoindre nos vies d'avant. Nous allions tirer des leçons de ce peuple fier et inspirant, qui a fait le choix de vivre dans une bulle de traditions, de valeurs et, curieusement, de bonheur. Les habitants d'Anuta ne sont pas prisonniers de leur île ou de leur sort. Ils pourraient partir, prendre un bateau et rejoindre la ville. Ils pourraient travailler, gagner de l'argent et acheter des choses. Les plus ambitieux travailleraient encore plus et gagneraient encore plus d'argent. Ils pourraient alors acheter plus de choses. Un modèle connu. Mais ils ne veulent pas de cette vie. Ceux qui partent reviennent, pour retrouver cette indescriptible liberté. Ils préfèrent être heureux sur leur île, simplement, sans stress, en partageant tout.

Ce tout n'est pas beaucoup aux yeux de la plupart d'entre nous. Ils vivent sans rien, diraient certains. Après les avoir accompagnés un moment dans leur quotidien, j'avais plutôt l'impression qu'ils avaient beaucoup.

Notre séjour ici n'avait pas seulement permis de tisser des liens, il avait créé des amitiés nouvelles et précieuses, sincères et éternelles, que ni la distance ni le temps n'arriveraient à dissiper. Tous les membres d'équipage ont été happés par l'humanité débordante d'un peuple étonnant, loin des clichés, et moderne dans sa façon de penser et d'être. Une rencontre historique, qui allait marquer à tout jamais le cœur des aventuriers, et qui s'offrait en témoignage puissant pour l'avenir de la planète.

Nous avons levé l'ancre et repris la route vers ce que nous sommes. Dans le silence de la nuit, par-dessus le bruit des vagues, nous entendions encore les rires et les chants de nos amis. Il n'y avait déjà plus de larmes ni de chagrin. Ils avaient réussi à évacuer la tristesse de notre séparation et avaient retrouvé leur joie de vivre naturelle. Mais comment font-ils pour être si près du bonheur ?

Les enfants du dragon

Nous avons fait escale au Parc national de Komodo, en Indonésie. C'est ici que vit un varan gigantesque à la réputation terrifiante : le dragon de Komodo. Il faut dire que le plus grand des lézards peut atteindre trois mètres de longueur et peser jusqu'à 70 kilos ! Ce n'est qu'en 1910 que des scientifiques occidentaux ont découvert l'espèce, mais pour les locaux qui partagent le territoire avec la bête, il occupe ces terres depuis toujours.

Les dragons de Komodo sont menacés de disparition, principalement en raison des conflits avec les humains qui utilisent son territoire et déciment ses proies, comme les cerfs ou les buffles. Après une série d'expériences scientifiques avec les biologistes locaux, où nous avons capturé et mesuré ces bêtes puissantes et impressionnantes, nous nous sommes dirigés vers l'île voisine de Rinca, pour partager le quotidien des villageois qui vivent en présence des dragons. Les médias ont souvent rapporté des histoires d'horreur sur les attaques meurtrières menées par des dragons de Komodo. Des vieillards, des enfants et même des sépultures ont été victimes des redoutables carnivores. Je cherchais à comprendre pourquoi ces villageois ne se protégeaient pas davantage contre ce féroce agresseur.

Le petit village semblait sortir d'une autre époque. Ici, les maisons n'étaient que de frêles structures, marquées par le temps et l'absence de moyens. Il y avait des enfants partout qui, comme tous leurs semblables, couraient, jouaient, riaient et se moquaient gentiment de nous, les débarqués de la mer, perdus et loin de tout. Nous marchions entre les maisons délabrées en examinant chaque cavité, chaque cachette potentielle. On nous avait conseillé de rester vigilants, car les dragons pouvaient surgir de n'importe où pour lancer leur attaque.

Une chèvre du village n'a pu échapper à ces dragons de Komodo, redoutables prédateurs qui utilisent le village comme garde-manger.

Les enfants qui nous accompagnaient ne semblaient pas s'en faire. Ils couraient, pieds nus, dans les quelques rues qui divisaient le village. C'était probablement tout ce qu'ils avaient connu, à part peut-être la montagne, située pas très loin. Ils ne devaient toutefois pas s'y aventurer trop souvent. La montagne, c'était le territoire exclusif des dragons.

C'étaient des enfants du pays, comme ceux que nous avons fréquemment croisés dans les villages de ces îles perdues, mais ils avaient un petit quelque chose dans le regard qui les distinguait, un soupçon de tristesse dissimulé par les sourires et les rires qui s'entendaient jusque dans la montagne aux dragons, peut-être pour signifier aux bêtes d'en haut qu'ils n'acceptaient pas de vivre dans la peur.

La plupart des maisons étaient construites sur pilotis pour protéger les habitants des dragons rôdeurs. Curieusement, il n'y avait pas de clôtures pour limiter l'accès au village, hormis un muret récemment érigé autour de l'école. Pas une journée ne s'écoulait sans qu'un varan parvienne à outrepasser les limites du village. Certains, sans gêne, se faufilaient et guettaient leurs proies. La plupart du temps, c'était des chèvres ou des chats. Occasionnellement, c'était aussi des vieillards ou des enfants...

Nous avons rencontré une dame qui venait d'être attaquée. Le dragon l'avait empoignée par un bras et, n'eussent été le courage et la détermination exceptionnels de cette femme, il l'aurait dévorée. Elle a dû être hospitalisée, mais elle nous a raconté, en détail, comment elle l'a corrigé à coups de pied avant que d'autres villageois ne lui viennent en aide. Elle devait avoir près de 90 ans, elle ne se souvenait plus trop. Elle gardait des cicatrices de son combat, et se plaignait de douleurs en travaillant. Car cette veuve devait encore gagner sa vie, en confectionnant des balais à partir de feuilles de palmier. Quand je lui ai demandé ce qu'était devenu le dragon, elle m'a souri.

Dans la mythologie indonésienne, le dragon de Komodo est considéré comme un membre de la famille à part entière, et les lois sacrées le protègent en quelque sorte. La légende du dragon nous a été racontée par plusieurs villageois, qui ont appris à cohabiter avec ce redoutable voisin.

Il y a fort longtemps,
au creux des collines escarpées et arides
du royaume de Komodo,
vivait une princesse nommée Putri Naga,
la Princesse Dragon.

Putri Naga donna naissance à des jumeaux :
Si Gerong, un bébé garçon, et Orah, un bébé dragon.
Putri Naga éleva son fils parmi les siens,
mais elle cacha sa fille Orah dans la forêt,
où elle s'en occupa tendrement,
à l'insu des hommes.
Quelques années plus tard, Putri Naga mourut.

Un jour, Si Gerong, devenu grand chasseur
du royaume, tua un cerf.
Au moment de récupérer sa prise, un lézard énorme
et redoutable
se rua sur la bête gisante et la dévora.
Si Gerong s'élança pour harponner le dragon,
mais il fut ébloui par une lueur puissante,
blanche et rayonnante.
Sa mère, Putri Naga, le somma d'arrêter.

« Ne le tue pas. Ce dragon est ta sœur jumelle Orah.
Considère-la comme ton égale. »

Depuis ce jour, les dragons du royaume de Komodo
vivent paisiblement auprès de leurs frères,
les hommes...

Pour les villageois, cette légende n'avait rien du folklore. Cette histoire, véhiculée de génération en génération, était à la base de l'étonnante relation qui unit les insulaires de Komodo et leur mythique reptile. « On ne peut pas faire de mal au vieil ancêtre à la langue fourchue, notre sœur de sang, notre égal », me répondit la vieille dame.

Cette grand-mère avait eu de la chance, mais sa voisine, beaucoup moins. Cette mère nous a raconté comment elle avait perdu son fils de 8 ans dans des conditions tragiques. L'enfant se relaxait sur les marches menant à sa maison sur pilotis, comme il le faisait tous les jours avant le repas. Un dragon est sorti de nulle part et s'est emparé d'une de ses jambes, entraînant le petit au sol. Il l'a mordu à la cuisse, avant de l'agripper par le corps avec ses puissantes mâchoires. Ils devaient faire près de trois mètres et, malgré les efforts désespérés du père, le reptile a réussi à déchiqueter l'enfant devant sa famille et ses amis impuissants. La femme racontait le drame d'une voix douce, presque éteinte,

et je pouvais encore ressentir toute la douleur dans son récit. Le père, anéanti, parlait du destin pour expliquer la tragédie. Dieu en avait décidé ainsi.

L'enfant repose aujourd'hui dans le petit cimetière du village, à l'endroit même où les dragons continuent de patrouiller en quête de nourriture. Le témoignage de la mère a fait monter une lente marée intérieure qui a inondé tout mon être. J'ai pensé à tous ces enfants du village qui cohabitent avec cette créature sortie tout droit de la préhistoire. Je les revoyais en train de nous accompagner, souriants, dans le village, et j'en voulais presque à la vie d'avoir mis ces habitants sur le territoire des dragons. Mais personne ici ne semblait en vouloir aux dragons, pas plus qu'on ne cherchait vengeance ou qu'on tentait de les chasser. La vieille légende continuait d'alimenter les croyances et rien n'allait changer, malgré la mort tragique d'un enfant.

Ces créatures semblent appartenir au passé, mais elles jouent encore aujourd'hui le rôle que la nature et des millions d'années d'évolution leur ont légué. Il est facile de les condamner, surtout quand on perd ses propres enfants. Mais l'humain occupe son territoire, et la cohabitation imposée n'est pas toujours harmonieuse.

Heureusement, les accidents tragiques étaient plutôt rares et les gens d'ici acceptaient ce partage des terres avec une certaine fatalité. Quand un des leurs était blessé ou disparaissait, victime de l'appétit de leurs frères ou sœurs de sang, ils se disaient que c'était le lot du destin et ils nous répétaient, encore et toujours... *Mā chā'Allāh* (ما شاء الله), comme Dieu l'a voulu...

Tuer au nom de Dieu

Nous étions arrivés aux prémices de la nuit. Une nuit comme les autres, sans lueur et sans tracas. Nous avions des attentes, mais nous étions presque résignés à ne rien filmer, tellement l'événement convoité était censé être rarissime. Nous sommes passés à quelques encablures de la plage de Lamalera, un petit village situé sur l'île de Lembata, en Indonésie, sans y trouver un fond favorable à l'ancrage. Nous avons poursuivi notre route et avons mouillé l'ancre dans une baie à l'abri des regards. Sans le savoir, nous avions choisi la meilleure option. On ne filme pas la mort d'espèces menacées sans éveiller les soupçons.

La nouvelle faisait grand bruit. Des chasseurs de baleines venaient de tuer un jeune cachalot macrocéphale de 13 mètres de longueur. Était-ce la chance qui avait fait coïncider notre arrivée avec cette mort qui allait être célébrée par une grande fête au village ? Nos sentiments étaient partagés ; nous étions heureux de cette concordance d'événements, mais tristes de voir une baleine menacée sacrifiée au nom d'une certaine culture. Nous avions navigué jusqu'ici pour documenter l'une des dernières chasses traditionnelles à la baleine permises par la communauté internationale. Le droit de pratiquer cette activité d'exception

Ce cachalot macrocéphale, la plus imposante baleine à dents de la planète, était la vingt-cinquième victime de la saison.

reposait sur des méthodes anciennes. Cela se faisait à partir d'embarcations traditionnelles, et les chasseurs devaient réaliser leurs approches à la voile et à la rame. Historiquement, les villageois réussissaient à capturer quelques baleines durant une saison. Dans le registre des captures, il y avait aussi des années où aucune baleine ni aucun dauphin n'avait été rapporté au village. Il n'était pas facile de chasser des mammifères marins dans de pareilles conditions, et cela faisait partie des raisons pour lesquelles on leur avait accordé cette permission spéciale. Les prélèvements dans la ressource étaient négligeables, et cette autorisation reconnaissait la valeur de leurs droits ancestraux. Mais nous avions des doutes sur leurs récentes opérations. Nos recherches montraient que le nombre de captures avait considérablement augmenté au cours des dernières années, et cette forte hausse ne trouvait pas d'explication dans la littérature scientifique. Nous étions déterminés à comprendre les raisons de cette soudaine montée en flèche des mises à mort.

À Lamalera, les harpons rudimentaires visaient principalement le cachalot, mais on chassait aussi l'épaulard, le dauphin ou tout autre cétacé qui osait s'aventurer au large du village. Sur la plage, cette nuit-là, gisait un jeune cachalot, la plus imposante baleine à dents de la planète. Au petit matin, l'animal allait être découpé, taillé en pièces de chair et de gras pour nourrir les populations locales. Tout allait être consommé et partagé entre les habitants de l'île. C'était d'ailleurs l'une des conditions essentielles à leur droit de tuer, puisque la réglementation internationale interdit tout commerce.

Nous sommes arrivés sur la plage aux lueurs du jour, avec notre matériel cinématographique en bandoulière. Les villageois étaient tellement occupés par la dissection de l'animal que nous avons pu filmer librement.

Le spectacle laissait pantois. Ce matin, sur cette plage, je devais retirer mes lunettes d'Occidental pour tenter de comprendre la culture et les traditions locales. Je l'avais souvent fait auparavant, avec les Inuits, avec qui j'avais même partagé certains repas douteux. En Arctique, la chasse est réglementée, et les communautés observent des quotas bien définis par la science. Ici, en Indonésie, je savais que les règles étaient trop souvent bafouées et qu'aucune étude scientifique ne venait étayer un quelconque système de limitation des prises.

On me présenta le harponneur, considéré comme le héros du jour. Il était fier et impressionné par la présence de nos caméras. Nous allions lui permettre de passer à l'histoire, et tout le monde allait connaître son exploit. Emporté par l'enthousiasme du moment, il se confiait sans restrictions. Il nous expliquait en détail comment il avait bondi dans les airs, selon la tradition, pour rejoindre la bête et lui enfoncer son harpon dans la chair. Il n'avait pas eu peur. Après tout, c'était un harponneur, le poste le plus prestigieux du village, après celui de chef.

Je lui ai demandé innocemment combien de cachalots avaient été tués cette année, en ce quatrième mois de campagne. La saison de chasse durait sept mois. « Vingt-cinq », me répondit l'homme au sourire béat. Je me tournai alors vers notre traductrice pour une confirmation. Elle avait certainement mal entendu, ou mal traduit. Elle a reposé la question. J'ai eu droit à la même réponse…

J'étais sous le choc. Quelles sont les limites d'une culture et de ses coutumes lorsqu'il s'agit du droit de tuer, surtout quand ces pratiques visent des espèces vulnérables, comme le cachalot ? Ce matin-là, nous avons aussi trouvé des carcasses de dauphins qui gisaient au milieu des thons, des espadons, des requins et des autres espèces de poissons pêchées durant la nuit. Il y avait sur cette plage suffisamment de produits de la mer pour nourrir bien plus qu'un village ! Parmi ces victimes, les restes d'un requin marteau, une espèce protégée, dont les stocks sont dangereusement menacés dans tous les océans du monde. Ici, le droit de tuer ne se limitait pas aux espèces commerciales et on ne croyait simplement pas que des espèces pouvaient disparaître en raison de la surpêche ou de la chasse. J'étais secoué.

Les pratiques de chasse et de pêche ont toujours été considérées ici comme des activités de subsistance. Elles ne sont donc pas soumises aux règles sur la protection des espèces menacées qui interdisent leur exploitation. Mais cette exception aux lois internationales n'a pas été revue depuis que les chasseurs utilisent des embarcations à moteur, vers le début des années 2000. Les résultats de cette chasse ont toujours été limités en raison des techniques rudimentaires employées, les mêmes que celles décrites pour la première fois en 1643 par des explorateurs portugais. L'apparition récente de moteurs hors-bord était venue changer la donne, de façon importante. Les pêcheurs pouvaient maintenant aller plus loin, se déplacer beaucoup plus vite et prendre en chasse des animaux rapides, comme les dauphins ou les épaulards. Le combat entre les hommes et les baleines n'était plus du tout ce qu'il était auparavant, du temps où les premiers devaient ramer pour approcher leurs proies. Le moteur, nouvel outil moderne, avait complètement transformé le visage de ce que l'on appelle encore ici la pêche traditionnelle.

J'ai essayé de parler de quotas avec eux. Je tentais de leur expliquer le statut précaire de certaines espèces chassées ou pêchées. Rien à faire. Les villageois considéraient toujours leurs pratiques comme des activités ancestrales essentielles à leur survie et

personne, surtout pas des étrangers, n'allait leur imposer des limites ou des quotas à respecter. Selon les habitants de Lamalera, il n'appartenait à aucun organisme environnemental ou même gouvernemental de décider de l'avenir d'une espèce animale. Ces cachalots étaient des offrandes célestes et ils allaient continuer de les tuer au nom de Dieu ! S'il y avait un réel problème avec ces baleines, Allah ne les mettrait pas sur leur route. Il ne leur donnerait pas non plus ces dauphins, requins, raies et autres animaux de la mer qui ne sont, selon eux, que des cadeaux du Tout-Puissant.

J'ai décidé de marcher un peu sur la plage, sonné par tout ce que je venais d'entendre. J'essayais de comprendre, de relativiser cette situation qui heurtait mes valeurs profondes. Je n'étais pas d'ici, et cette chasse représentait un élément identitaire essentiel pour ces villageois. Je pouvais d'ailleurs constater toute la force du moment. Tout le monde était là, les jeunes, les vieux, les femmes et les enfants. Tous participaient à ce grand jour, un jour de fête pour eux, et j'essayais de répondre aux sourires lancés vers moi avec respect. J'ai même pris quelques photos pour immortaliser cette journée surréaliste. Des enfants avaient érigé un petit château de sable dans une mare de sang. Une image puissante, qui symbolisait toute la différence entre nos cultures, et qui faisait se télescoper nos perceptions distinctes d'un même événement. Leurs sourires étaient marqués par l'innocence, et ils exprimaient le côté festif d'une situation qui, pour eux, était tout à fait normale. J'ai eu une pensée pour le petit bonhomme qui m'attendait à la maison, pour cet enfant qui partageait mes jours et à qui j'aimais raconter mes histoires de voyage. Soudainement, je me sentais loin, très loin de chez moi.

Le lendemain, nous avons décidé de prendre la mer pour documenter leurs activités dites traditionnelles.

Notre bateau pneumatique n'a pas eu de mal à les rejoindre au large. Les pêcheurs utilisaient une embarcation de fortune en bois, équipée d'un moteur hors-bord de 15 forces. C'était suffisant pour approcher les hordes de dauphins qui tentaient de fuir devant la menace. Les pêcheurs étaient plutôt habiles dans leurs manœuvres et ils savaient anticiper les déplacements de leurs proies. La technique était simple, mais efficace. Le capitaine se faufilait au milieu d'un groupe, pendant que le harponneur prenait place sur une petite plateforme située à la proue du bateau. Une longue perche en bambou munie d'un crochet métallique servait de harpon. Une fois à proximité, le harponneur se lançait dans les airs et projetait sa gaffe vers l'animal en fuite. La tête du harpon, reliée à l'embarcation par une amarre, pénétrait dans le flanc de l'animal.

Le dauphin blessé tentait de s'échapper, mais il était déjà trop tard. Le sang se répandait, recouvrant le grand bleu d'une triste robe cramoisie. Le petit cétacé était rapidement ramené vers l'embarcation où les pêcheurs l'immobilisaient contre le franc-bord. J'ai alors assisté à l'une des scènes les plus pénibles qu'il m'ait été donné de voir. Les chasseurs utilisaient une sorte de gourdin en bois pour frapper violemment le bec du dauphin. Selon leurs croyances, c'est ainsi que l'on devait achever l'animal. Plus il se débattait, plus on le rouait de coups. C'était horrible. J'en ai compté

près d'une cinquantaine. Je n'ai jamais compris comment on avait pu leur enseigner une technique aussi barbare et inopérante. Les muscles des mâchoires sont puissants et faits pour résister à toutes sortes de pression. Les dauphins utilisent même leur rostre comme arme redoutable pour se défendre contre des agresseurs, comme des requins ou autres prédateurs. Il était évident que ce procédé de mise à mort n'était d'aucune efficacité.

Au bout de quelques minutes de souffrance indescriptible, le dauphin, à bout de forces, a pu être remonté dans l'embarcation, toujours vivant. Il allait encore mettre un certain temps avant de mourir.

Nous avons filmé la scène en silence, incapables de réagir ou d'intervenir. Nous, intrus dans ce monde si loin de nous et de nos valeurs, étions restés là, sans bouger, inaptes à manifester notre opposition, pétrifiés devant cette bataille, devant ce massacre. J'avais fait preuve d'ouverture d'esprit dans bien des situations au cours de ma carrière et j'avais plutôt tendance à comprendre, à accepter et à respecter les mœurs et coutumes de mes hôtes, mais rien, absolument rien ne pouvait justifier une mise à mort aussi cruelle, douloureuse et lente.

Les chasseurs étaient gonflés à bloc. Ils ont remis ça et un autre dauphin a été sacrifié devant nos yeux, avec la même technique de mise à mort sordide et cruelle. Je n'en pouvais plus, mais je n'étais pas en position d'imposer quoi que ce soit, ici, sur leur territoire, loin de tout. Je leur ai alors expliqué que je devais faire quelques plans de coupe pour compléter notre séquence d'images. Ils n'y voyaient pas d'inconvénients. Je les suivais de près dans leurs approches, ce qui m'a permis quelques fausses manœuvres qui ont fait avorter leurs tentatives. À quelques reprises, j'ai volontairement positionné notre bateau pneumatique entre le harponneur et les dauphins, qui profitaient de ce bref moment de dérangement pour fuir rapidement. Je m'excusais auprès des chasseurs, mais j'insistais pour dire que les plans étaient magnifiques, qu'ils allaient être très beaux à la télévision... Nous ne pouvions toutefois pas faire obstruction de manière systématique et j'ai demandé à retourner au village afin de terminer les entrevues avec eux. Je savais bien qu'ils allaient revenir le lendemain, puis le jour d'après, et tant qu'il y aurait des dauphins, mais j'avais quand même ma modeste victoire sur la journée. J'avais réussi à mettre fin à ce carnage pour le moment.

Ils ont accepté ma proposition, à condition que l'on remorque leur embarcation jusqu'à la plage. Ils désiraient sans doute économiser de l'essence et profiter de la vitesse de notre bateau. J'ai obtempéré en insistant pour qu'un des harponneurs monte à bord de notre zodiac. Le pauvre s'était frappé violemment la tête contre la coque de son embarcation, à la suite d'une fausse manœuvre de son capitaine. Il était plutôt mal en point et avait besoin de soins rapidement.

Sur le chemin du retour, sans prévenir, ils se sont mis à crier, à hurler pour que je m'arrête. Ils faisaient des signes, me donnaient des instructions, mais je ne comprenais absolument rien. Le harponneur me désignait une direction à prendre et il insistait. Ses hommes venaient de voir une raie manta, énorme, et il voulait que je me dirige vers l'animal qui se reposait en surface. Il prétendait même prendre les commandes de mon bateau. Ah non! J'acceptais d'être l'ambulance de service, mais il était hors de question que je nous engage dans une autre tuerie. Il sauta prestement dans son bateau et pourchassa l'animal. C'est fou comme il avait récupéré rapidement!

Ils se sont positionnés au-dessus de la raie et l'ont harponnée avant qu'elle ait eu le temps de comprendre ce qui se passait. Les pêcheurs étaient hystériques. Ils hurlaient leur joie, comme s'ils venaient de décrocher le gros lot.

Sur la plage, d'autres chasseurs rentraient aussi avec leur butin. Il devait y avoir une bonne dizaine de carcasses de dauphins fraîchement tués. Les hommes discutaient entre eux et nous lançaient des regards suspicieux. Nos questions commençaient à déranger et je sentais bien que notre séjour ici tirait à sa fin.

En entrevue, notre harponneur parlait avec grande fierté. Il n'était pas un fils de harponneur et il avait dû faire ses preuves pour occuper l'un des postes les plus prestigieux du village. Il me racontait qu'une embarcation qui avait un bon harponneur comme lui tuait normalement environ 10 dauphins par semaine. Il y avait une vingtaine de canots équipés de moteur hors-bord dans le village, ce qui donnait 200 dauphins par semaine! Il y en avait donc probablement des milliers qui périssaient sous les harpons chaque saison.

Si l'on ajoute aussi les 25 cachalots qu'ils avaient réussi à tuer au cours des quatre derniers mois, en faisant un petit calcul rapide et très modeste, cela représentait au moins 250 tonnes de viande, de graisse et d'huile de cachalot, 250 000 kilos à se partager entre les membres de la communauté. Or, il n'y avait que 2 500 habitants en comptant les villages voisins, et peut-être même les chiens et les chats. Il y avait quelque chose qui clochait dans cette équation, surtout sur cette île où il n'y avait ni réfrigérateurs ni congélateurs. La communauté ne pouvait consommer autant de viande et de graisse de baleine, de dauphins, de requins, et de raies, sans compter les espadons, les thons et autres poissons de toutes tailles. Je soupçonnais la revente à un intermédiaire, mais notre interviewé refusait de confirmer mes soupçons.

Je lui ai alors demandé pourquoi il avait manifesté autant de joie au moment de la capture de la raie manta. Il ne se méfiait plus quand il a répondu que la vente des branchies valait son pesant d'or! Il y avait donc quelqu'un qui rachetait les produits de leur pêche! Nous avons appris plus tard qu'il y avait aussi un marché pour les ailerons de requin et qu'un intermédiaire jouait les revendeurs. Or, la vente des produits de la chasse à la baleine est strictement interdite par les lois internationales. Notre harponneur savait qu'il en avait trop dit. Il a immédiatement spécifié que la chasse aux cachalots se pratiquait encore sans embarcations motorisées, que les bateaux à moteur ne servaient qu'à remorquer les canots traditionnels près des baleines. J'avais de sérieux doutes. De toute façon, la chasse aux dauphins telle qu'elle était pratiquée était déjà une entrave majeure à leurs droits ancestraux de pratiquer une chasse de subsistance. Juste pour cette activité, bien documentée par notre équipe, ils risquaient d'avoir de gros problèmes.

Nous sommes rentrés au *SEDNA* avec ces images imprégnées à tout jamais dans nos âmes impuissantes. Nous avions filmé ce que nous étions venus chercher, et nous avions des arguments solides pour dénoncer ces façons de faire qui ne respectaient plus les conditions fixées par les lois. Ces hommes étaient à blâmer, certes, et leurs comportements étaient cruels et choquants. Il était bien sûr facile de stigmatiser ces chasseurs de baleines, d'exiger l'arrêt immédiat de ces

pratiques inhumaines et de faire pression sur les autorités pour mettre un terme à ce carnage. Mais pouvions-nous imposer nos lois et nos valeurs à ces êtres qui n'ont rien, et dont l'empreinte écologique reste largement en deçà de la nôtre? J'étais déchiré, perturbé par les événements et, au moment de laisser le village de Lamalera en poupe, je ne savais pas si j'allais avoir le courage d'utiliser nos images. Je me sentais mal, mais je ne pouvais pas non plus accepter que l'on tue dans ses conditions, et au nom de Dieu.

Il y a des jours où rapporter les faits devient une tâche extrêmement complexe, surtout quand on a l'impression que les images se transforment en preuves accablantes contre nous, humains en manque d'humanité.

Plus tard, beaucoup plus tard, nous avons réalisé le film et dénoncé les pratiques sanguinaires observées. Le film a fait le tour du monde, mais rien n'a changé. On continue de chasser les dauphins et les baleines autour de l'île. Des pétitions ont été lancées, en vain. Après tout, peut-être les dieux en ont-ils décidé ainsi.

La pêche au cyanure et à l'explosif

L'île de Bali est perdue dans le plus grand archipel du monde, l'Indonésie. Petit paradis retrouvé pour l'équipage du *SEDNA* après un long transit au large, Bali s'offrait en traditions et en valeurs, surtout quand on s'éloignait de sa capitale, Denpasar. Après avoir réussi l'exploit de sortir de son centre-ville achalandé, où motos et voitures se coupent mutuellement la route pour utiliser la moindre parcelle de bitume disponible, nous avons emprunté une voie sinueuse vers les montagnes, où les bas-côtés donnent directement sur des falaises saisissantes. Rater une courbe signifiait plonger vers la mort, mais on ne pensait pas trop à cela, les yeux rivés sur les voluptueuses rizières en terrasse. Les cultures coulaient littéralement en cascades des coteaux, souvent à flanc de volcans. Les valeureux paysans n'interrompaient leur travail au champ que pour faire des dons et des prières à la divinité tutélaire, qu'ils vénèrent pour toute cette abondance naturelle. Ici, l'offrande est partout et rappelle l'étonnante persistance de la religion hindouiste en terre de Coran. Bali est l'exception dans le plus grand pays musulman au monde.

Partout, durant notre incroyable périple sur l'île des Dieux, nous avons pu assister à des cérémonies. Les offrandes divines ont lieu plusieurs fois par jour, devant chaque maison, dans chaque temple, à un simple carrefour ou encore sur une plage de sable, que la marée dérobait à la fin du montant. Pour nous, Occidentaux de passage, ces intrusions rapides dans les cultures aux valeurs traditionnelles permettaient de réaliser un formidable voyage intérieur, nourrissant les âmes de cette bonté naturelle entre les humains. Dès lors, les barrières linguistiques et les différences culturelles n'avaient que peu d'importance, comme si l'humanité savait parfois former un tout, universel et omniscient, qui s'élevait au-dessus des obstacles individuels.

C'était peut-être cette recherche du Bon qui avait incité les habitants du village de Les, au nord de l'île de Bali, à modifier leurs techniques de pêche pour adopter des méthodes plus durables. Depuis longtemps, les pêcheurs de ce village vivaient de la vente de petits poissons destinés aux aquariums de la planète. Un jour, la mer a cessé de leur fournir les fruits de leur travail, étouffant sous des décennies de mauvais traitements. Traditionnellement, pour faciliter les captures, les plongeurs de Les épandaient du cyanure sur les récifs coralliens pour empoisonner et ébranler les petits poissons. Les dommages causés par ce mélange toxique étaient foudroyants pour les coraux.

Le cyanure freinait la photosynthèse des algues microscopiques qui vivaient en association avec le corail. Au contact de la substance, ces algues quittaient leurs hôtes, ce qui provoquait le blanchissement et la mort du corail. Le poison tuait aussi les œufs et les larves de plusieurs espèces de poissons, créant une réaction en chaîne aux effets dévastateurs. Sans coraux pour se nourrir et se protéger, les poissons aux formes et couleurs stupéfiantes, qui permettaient aux habitants du village de vivre de leur modeste gagne-pain, avaient tous disparu. Les fonds marins luxurieux avaient été remplacés par de tristes paysages blafards. Les villageois avaient tué leur ressource de base.

Devant cette crise économique et écologique majeure, les pêcheurs n'ont eu d'autre choix que de se mobiliser. Ils ont transformé leurs méthodes et banni le cyanure. Les mentalités ont évolué et, peu à peu, ils ont pris conscience de la valeur de cet océan qui leur permettait de subsister. Ils ont construit des récifs artificiels, interdit les déversements et défendu leur petite oasis contre les pêcheurs récalcitrants. Il a fallu du temps, beaucoup de temps, mais les récifs coralliens ont repris vie, et les poissons sont revenus.

Aujourd'hui, le village de Les sert d'exemple parmi les autres communautés de pêcheurs, mais la victoire contre le cyanure est loin d'être acquise. Des lois ont été votées pour interdire cette technique, mais la menace demeure bien présente. On estime qu'environ 40 % des pêcheurs indonésiens utilisent encore le cyanure de manière illégale.

Les pêcheurs repentis essaient de convertir les illégaux, mais il est difficile d'organiser des campagnes de sensibilisation dans un pays qui compte plus de 17 000 îles ! La pêche au cyanure représente un véritable fléau dans ce pays, qui abrite 18 % des récifs coralliens de la planète. Leur problème était donc aussi le nôtre.

L'Indonésie est également l'un des plus importants exportateurs de grands poissons vivants, destinés aux restaurants réputés de la planète. C'est un marché en pleine expansion, et les consommateurs sont prêts à payer très cher pour déguster un poisson frais, choisi à même l'aquarium des cuisines de renom. L'explosion de la demande a créé une pression importante sur les mérous et les autres gros poissons prisés. Encore une fois, les pêcheurs se sont rapidement tournés vers le cyanure pour répondre à la demande. Bien peu de clients savent que leurs repas contiennent du poison, et la clandestinité des opérations ne permet pas d'évaluer les impacts véritables sur la santé humaine. Il est aussi pratiquement impossible de différencier un poisson empoisonné d'un autre pêché selon des méthodes traditionnelles.

Les transactions d'exportation illégales ne touchent pas seulement l'Indonésie. Les Philippines et autres pays exportateurs de poissons vivants utilisent également cette technique destructrice d'habitats.

Durant notre mission en Asie du Sud-Est, nous avons assisté, impuissants, à ces pratiques déplorables. Dans certains villages isolés, nous avons été témoins d'une autre forme de pêche dévastatrice : la pêche à l'explosif.

Notre enquête était difficile. Nous ne passions pas inaperçus avec notre voilier de 51 mètres, et notre présence soulevait des doutes. Les pêcheurs étaient méfiants. Nous savions qu'ils pratiquaient encore la pêche à l'explosif. Et ils savaient que nous savions. On ne badinait pas avec ces pêcheurs qui ne reconnaissent que leurs propres lois, et nous sentions que nos caméras représentaient une réelle menace pour eux.

Certains pêcheurs repentis comprenaient nos motivations et ils acceptaient de collaborer à notre enquête, en insistant toutefois pour être filmés à visage couvert. Nous leur avons accordé ce droit, pour éviter les représailles et ne pas risquer la condamnation de ces délateurs. La pêche à l'explosif est surtout utilisée pour le marché local et la consommation personnelle, mais elle cause des dommages irréversibles aux habitats marins, détruisant tout à chaque nouvelle détonation.

Ces pratiques sont bien sûr illégales, mais les programmes de gestion des pêches sont inadéquats, et l'application des lois demeure complètement déficiente. Ici, tout le monde peut s'improviser pêcheur et prendre à peu près tout ce qu'il veut. La forte demande pour les poissons vivants favorise les intermédiaires malhonnêtes, toujours prêts à racheter les cargaisons douteuses. Ces pratiques menacent la santé des océans, mais elles semblent bien loin de nos préoccupations d'Occidentaux. Nous avons trop souvent le sentiment que ces activités illégales ne nous concernent pas, que la problématique est étrangère. Et pourtant...

Nous avons voulu vérifier la destination finale de ces poissons vivants, que ce soit pour le marché de l'aquariophilie ou celui de la restauration. L'opération comportait sa part de risques. Ici, au pays de la corruption, tout le monde sait, mais tout le monde se tait. Puisque tout se marchande, nous avons négocié notre présence dans les locaux sécurisés de la section cargo de l'aéroport international de Denpasar. Nous voulions découvrir où allait cette marchandise qui alimente ce lucratif marché, trop souvent illégal. Nos caméras enregistraient les opérations, sous le regard nerveux des policiers corrompus.

Il y avait bien sûr des colis qui prenaient l'avion vers Hong Kong, Singapour ou certaines capitales chinoises, mais la surprise fut de taille quand nous avons vu des palettes complètes de poissons vivants prêtes à s'envoler vers New York, Los Angeles, Toronto et Vancouver ! Une problématique étrangère ?

Les pêcheurs indonésiens illégaux répondent à une demande qui est exclusivement internationale. En achetant ces produits, nous contribuons aussi à ce marché illicite.

Il n'y a pas de fumée sans feu

Nous sommes arrivés sur l'île de Bornéo, en Indonésie, dans un nuage de fumée qui rappelle les affres d'une terre en pleine guerre. Vus d'avion, les foyers d'incendie se multiplient, laissant monter au ciel une lourde fumée grise qui recouvre l'atmosphère d'un pesant velum. La grisaille n'a rien de naturel, car ici, loin des regards, c'est la guerre. Et qui dit guerre dit inévitablement victimes. Les martyrs locaux sont nombreux et meurent trop souvent dans l'indifférence et l'insouciance. Pourtant, sans le savoir, nous fournissons les munitions à cette guerre sans merci qui tue la vie, sous toutes ses formes.

Ici, sur cette île à la biodiversité exceptionnelle, on coupe et on brûle les forêts primaires pour planter des palmiers à la place. Ces monocultures n'offriront plus les habitats riches et essentiels à la vie. La grande majorité des animaux, sans territoire et sans espoir, seront condamnés. Les incendies provoqués tueront tout sur leur passage, mis à part quelques oiseaux qui pourront fuir le brasier de la mort. Tout, absolument tout sera brûlé, anéanti, massacré, exterminé au nom du progrès et de l'appât du gain. La quête de profits de

certains détone dans un silence qu'il faut dénoncer, comme le glas d'une mort annoncée, obsèques d'une cruelle agonie injustifiée. L'huile de palme produite ici voyagera autour du monde, pour lubrifier l'insatiable machine de consommation qui carbure à des milliers de kilomètres de ces sites de guerre. La distance ne peut pourtant pas légitimer notre insouciance, puisque nous sommes aussi les chalands silencieux et muets de cette huile produite, en apparence, à très peu de frais. Mais quel est le prix de la vie ? Combien valent ces orangs-outangs, gibbons, tigres, éléphants et rhinocéros des forêts indonésiennes qui meurent chaque jour sous le sceau complaisant de nos économies de marché ?

Les bûcherons d'aujourd'hui sont devenus des braconniers modernes. À l'abri des regards, les pilleurs de la forêt tuent les femelles grands singes qui transportent les bébés, solidement accrochés à leurs ventres. Pourchassées dans les restes d'une forêt qui n'offrent plus que de frêles pilotis dissimulés dans des lueurs orangées et enfumées, elles tentent de fuir, d'arbre en arbre, mais elles seront trop souvent abattues par leurs agresseurs. Les balles seront sans pitié. La femelle blessée tombera de son dernier refuge, chutant avec sa progéniture qui, sonnée, deviendra une proie facile pour ces marchands d'exotisme. Les adultes seront battus à coups de bâton jusqu'au dernier souffle. Ils deviendront aussi les cibles d'entraînement de ces tireurs du dimanche et souffriront jusqu'à ce que la vie, peut-être par simple pitié devant tant de douleur, quitte leurs âmes. Ces pilleurs de forêt, devenus nouveaux tueurs, récupéreront les bébés singes afin de les revendre pour une somme dérisoire.

Condamnés à la captivité, dans des conditions déplorables, ces jeunes singes termineront souvent leurs vies prématurément, au moment où ils atteindront leur maturité sexuelle. Car le bébé gibbon ou orang-outang, tout mignon et gentil, finira assurément par montrer une certaine forme d'agressivité quand le cycle biologique commandera au primate le développement de ses instincts et comportements d'adultes. Plus personne ne voudra alors d'un animal redevenu sauvage, qui désire défendre son territoire de façon toute naturelle. L'espérance de vie d'un gibbon en captivité est de 7 ans. Quand il est en liberté, elle atteint facilement 30 ou 40 ans.

La transformation des forêts primaires luxuriantes en palmeraies est un réel scandale. Pourtant, cette pratique est de plus en plus répandue un peu partout sur la planète et elle ne cesse de s'étendre. Le palmier est un arbre qui produit beaucoup et rapidement. Sa croissance phénoménale répond parfaitement à nos besoins de consommation moderne, où tout doit être démesurément rentable pour les actionnaires des multinationales.

Nous utilisons l'huile de palme dans une gamme impressionnante de produits, de l'industrie de l'alimentation jusqu'aux cosmétiques. On estime que plus de la moitié de la nourriture transformée que l'on trouve dans les rayons des supermarchés contient de l'huile de palme. Il faut venir ici, à Bornéo, à Sumatra ou dans d'autres terres d'Asie pour voir les effets directs de notre consommation boulimique de cette huile. Difficile d'attribuer la seule responsabilité à ces braconniers ou à ces bûcherons de forêts à la biodiversité d'exception. Après tout, ce lucratif marché repose essentiellement sur nos achats. Sans le savoir, ou pire encore, dans l'indifférence la plus complète, nous sommes les complices silencieux de ces tueries à grande échelle.

L'Indonésie a perdu plus de 50 % de ses forêts au cours des 50 dernières années. Chaque année, plus de deux millions d'hectares sont rasés, anéantis, soit l'équivalent de six terrains de football qui s'envolent en fumée chaque minute...

Le lourd nuage toxique qui surplombe les villes et les villages de Bornéo fait partie du quotidien des habitants, qui étouffent, mais qui acceptent sans vacarme cette déforestation créatrice d'emplois. Il est facile de condamner ce silence et cette complicité avec une industrie à l'éthique douteuse, mais il ne faut jamais oublier que le business de ces industriels sans conscience est alimenté par notre argent. Le grand brouillard de la déforestation qui plane au-dessus de l'Indonésie transporte des effluves de victimes condamnées par nos propres habitudes de consommation. Même avec les oreilles bouchées et les yeux bandés par les masques de notre insouciance, comment ne pas sentir l'odeur de tous ces corps calcinés qui se propage dans les sombres nuages de nos approbations silencieuses ?

Dans cette économie de marché sans morale et sans remords, il n'y a tout simplement pas de fumée sans feu.

Les derniers éléphants de Sumatra

Nous avons délaissé le confort de notre voilier pour pénétrer loin à l'intérieur des terres de Sumatra, sixième île de la planète en superficie. On trouve ici une faune extrêmement riche et diversifiée, avec plus de 200 espèces de mammifères et près de 600 espèces d'oiseaux. Ses forêts tropicales et ses tourbières constituent un vrai patrimoine mondial, mais le développement économique effréné, basé sur l'exploitation des ressources naturelles, représente aujourd'hui une terrible catastrophe pour la biodiversité.

Du hublot de notre avion, nous avons pu constater l'ampleur du massacre. Des plantations de palmiers à huile s'étendaient à perte de vue. Elles remplaçaient les forêts primaires qui, jadis, offraient des habitats essentiels pour les animaux. Véritable paradis, les forêts indonésiennes abritaient à cette époque près de 15 % de toutes les espèces vivantes de la planète.

Dans les années 1980, le gouvernement indonésien a cédé la majeure partie de ses forêts en concessions à de grandes compagnies, qui les ont rasées, incendiées et transformées en monocultures. Aujourd'hui, la production du palmier domine, mais les terres sont aussi utilisées pour le bois d'œuvre et la production de pâtes et papiers. Il n'y a pratiquement plus rien au cœur de ses plantations, et le silence a remplacé les sons d'une nature abondante, exterminée au nom du profit et de l'enrichissement de certains. Quand on brûle la forêt, neuf espèces sur dix périssent.

Nous avons rejoint la province de Riau, dans la partie centrale de l'est de l'île. Avant 1982, 80 % de ce territoire était composé de forêts tropicales primaires. Au cours des 25 dernières années, 70 % du territoire a été rasé. Dans ce qui reste de ces forêts luxuriantes, on trouve encore des populations d'éléphants, de tigres, de rhinocéros et de grands singes, mais tous ces animaux sont aujourd'hui sur la triste liste des espèces menacées d'extinction. Récemment, d'autres concessions ont été accordées aux grandes entreprises et, si rien n'est fait pour arrêter ce massacre, il ne restera bientôt plus d'habitats vierges pour les derniers spécimens emblématiques de Sumatra.

La communauté scientifique internationale a vivement réagi devant ce génocide planifié. Elle a sommé le gouvernement indonésien de sauvegarder ses terres et sa biodiversité. Des parcs ont alors été créés, mais les zones de protection n'ont jamais été respectées. Certaines compagnies ont poursuivi leur production à l'intérieur des limites des parcs, et les petits paysans, frustrés devant une situation économique qui ne les avantage guère, se sont mis à exploiter illégalement des zones protégées pour y planter des palmiers. Les autorités indonésiennes ont fermé les yeux, et les drupes produites par les paysans locaux ont toujours été rachetées par les grandes entreprises, complices de cette destruction structurée. Le parc national de Tesso Nilo, créé en 2004, devait protéger 1 000 km^2 de forêt. Aujourd'hui, environ 80 % du parc est exploité illégalement par des braconniers.

C'est aux abords de ce parc national que nous avons rejoint Sunarto, un biologiste qui travaille pour le Fonds mondial pour la nature. Après des études doctorales, il a décidé de consacrer sa vie à la sauvegarde des dernières populations d'éléphants sauvages. Au cours des plus récentes décennies, 80 % des éléphants de Sumatra ont disparu! L'ONG a mis sur pied une patrouille particulière pour les protéger: la brigade des éléphants, connue ici sous le nom de Flying Squad. Elle intervient régulièrement pour éloigner les pachydermes des plantations situées en périphérie du parc national.

Sunarto m'a présenté l'animal qui allait devenir ma monture pour les jours suivants. J'allais être assisté d'un mahout (ou cornac), pour contrôler la bête. La relation entre l'éléphant et celui qui est son guide, son entraîneur et son soigneur est très particulière, basée sur une confiance réciproque entre l'homme et la bête. Ensemble, nous allions patrouiller dans les environs et répondre aux plaintes des agriculteurs locaux qui n'appréciaient guère le fait de voir débarquer une horde d'éléphants sauvages dans leurs cultures.

Ces animaux sont de grands migrateurs et ils ont besoin de vastes territoires. Ils forment des troupeaux qui peuvent atteindre une quinzaine d'individus. Chaque jour, un adulte doit consommer entre 150 et 200 kg de plantes de toutes sortes. En raison du déboisement illégal pratiqué dans les aires protégées, il leur est maintenant difficile de trouver leur ration quotidienne. Pour se nourrir, ces animaux n'ont souvent d'autre choix que de s'aventurer à l'extérieur du parc, pénétrant ainsi dans les plantations avoisinantes.

Sans l'intervention de la patrouille, les conflits dégénèrent rapidement, entraînant régulièrement l'empoisonnement volontaire des troupeaux égarés. Des fruits empoisonnés servent d'appâts et ne laissent aucune chance aux éléphants, qui meurent pour avoir simplement pénétré à l'intérieur des terres cultivées. Les victimes sont nombreuses, et l'éducation populaire demeure peut-être leur seul salut.

Nous avancions lentement dans des sentiers connus par les éléphants. Je dois avouer que ce type de transport était fort bien adapté au genre de terrain sur lequel nous devions patrouiller. À part les mouches qui dévoraient la moindre parcelle de peau mal protégée, tout était parfait. La stature imposante de nos montures permettait de pénétrer loin dans la forêt sans être embarrassés par l'abondante végétation au sol. Après quelques heures de randonnée, nous avons débouché sur une clairière fraîchement déboisée. Il ne restait que les troncs calcinés de ce qui était naguère une forêt luxuriante. Sunarto soupçonnait des fermiers des environs.

Le biologiste était aussi inquiet. Qu'était-il arrivé aux éléphants sauvages de ce secteur ? L'équipe avait installé des émetteurs satellites sur certaines femelles de hordes connues, et les tracés des derniers jours allaient permettre de suivre leurs récents déplacements.

Le lendemain, nous avons troqué nos montures sauvages contre des véhicules tout-terrain, et sommes partis à la recherche du troupeau. Nous devions parcourir une bonne distance et traverser un des villages rebelles où des habitants s'étaient regroupés et organisés pour combattre un éventuel assaut des forces de l'ordre. On ne plaisantait pas avec ces agriculteurs illégaux qui étaient armés jusqu'aux dents. Pas un policier n'osait s'aventurer ici, et les dernières tentatives d'intervention de l'armée s'étaient terminées dans un bain de sang, à l'avantage des villageois insoumis. Notre matériel cinématographique était dissimulé sous de grandes bâches dans le coffre du 4x4, et Sunarto avait insisté pour qu'on lui retire son émetteur radio, pourtant bien caché sous ses vêtements. Il était nerveux. Il faut dire que son ONG avait récemment dû négocier la libération d'un membre de son équipe, capturé et gardé en otage par les rebelles pour s'être introduit sur une parcelle de terre qu'ils revendiquaient. Nous nous dirigions justement à cet endroit...

Nous avons traversé le village rapidement et avons dû nous arrêter à un petit poste de contrôle. Sunarto est descendu en nous demandant de demeurer discrets, effacés sur le siège arrière du véhicule. La discussion a duré de longues minutes et s'est probablement conclue par une poignée de main bien garnie. Nous pouvions continuer.

Nous avons suivi un petit chemin jusqu'à un carrefour forestier. Le récepteur venait de capter un signal émis par le collier de l'éléphant. Il allait guider notre équipe à travers une plantation d'acacias, des arbres à croissance rapide utilisés par l'industrie des pâtes et papiers. Nous marchions en silence en cherchant les traces du passage récent de la horde. Pas de doute possible, les excréments étaient frais et la force du signal s'intensifiait. La nervosité gagnait le groupe à mesure que nous approchions. Les éléphants sauvages étaient continuellement traqués par les braconniers, et ils avaient développé une certaine agressivité envers quiconque osait les confronter sur leur territoire.

Nous les entendions. Le craquement des arbres qui croulaient sous le poids des pachydermes était tout près. Je sentais mon cœur battre à tout rompre. Puis, les cimes devant moi se sont mises à bouger. Elle était là, juste là, à une dizaine de mètres à peine. Je ne respirais plus. La femelle nous avait vus et ne semblait pas apprécier notre présence. Elle avança rapidement vers nous, comme pour simuler une charge, puis s'immobilisa. Les autres éléphants du groupe prenaient la fuite derrière elle. Elle était la force de la horde et elle gardait un œil sur nous.

Elle poussa un barrissement puissant, feignant une nouvelle attaque, puis elle repartit. Je pense que c'est alors que j'ai recommencé à respirer. C'était une rencontre marquante, troublante par l'intensité et la fragilité du moment. Un pas ou un mouvement de trop, et c'était la charge. J'avais localisé quelques arbres refuges, mais je me voyais mal tenter une échappée dans cette forêt de jeunes acacias qui n'auraient pu résister au mastodonte en furie. J'avais eu

chaud, mais cette chaleur intérieure nourrissait encore plus la flamme de ma passion. Quel instant magique ! Il fallait absolument sauver ces nobles créatures de l'extinction.

Sur le chemin du retour, Sunarto a reçu un appel d'un paysan local sympathisant. Il y en avait quand même quelques-uns qui croyaient que la cohabitation entre les humains et les animaux était encore possible, ici, au cœur de ce pays qui avait été cédé aux grandes entreprises. Des éléphants venaient de pénétrer dans une importante plantation de palmiers et on craignait pour la vie de cette horde qui s'était aventurée en terrain dangereux. Il faisait nuit. Trop risqué pour la brigade d'éléphants. Nous avons enfourché des motos et sommes partis à la recherche du troupeau égaré.

Des pistes fraîches aux abords de la route montraient le chemin que les pachydermes avaient emprunté. Ils avaient simplement traversé la petite route qui déli-

mitait le parc national et la plantation d'une importante compagnie exploitante. Pour ces animaux migrateurs, la frontière virtuelle entre les territoires amis ou ennemis était bien mince.

L'équipe de Sunarto a sorti son matériel. De puissants canons à air allaient tenter de faire fuir les éléphants de la plantation. Les détonations s'entendaient à des milles, mais il était impossible de connaître la direction prise par la horde en pleine nuit. Il faudrait attendre aux premières lueurs du jour pour vérifier l'efficacité de l'opération. Nous étions perdus au cœur de la forêt, sur une minuscule route de terre rarement empruntée par les agriculteurs, quand des phares de voitures sont venus découper l'obscurité autour de nous. Des intrus avaient immobilisé leurs véhicules de façon à bloquer toutes les sorties. Éblouis par les lumières, nous ne distinguions que des silhouettes qui s'avançaient vers nous. Sunarto était nerveux. Nous aussi.

On cria mon nom... je sentais que les choses allaient se gâter. Des policiers avaient retrouvé notre trace. Sunarto a bien essayé de parlementer avec les agents, mais ils n'en avaient que pour moi. Malgré nos permis de tournage en règle, les interminables rencontres avec les autorités dans la capitale et toutes nos accréditations en poche, la police locale avait décidé d'exercer de la pression sur nous. Les gendarmes en civil devaient sans doute être les pantins de certaines compagnies qui n'appréciaient guère notre présence ici. Dans un pays où la corruption s'exprime à chaque carrefour de la vie, les permis et les cartes de presse n'avaient sûrement pas beaucoup de valeur, surtout quand on est perdu au milieu de la forêt indonésienne.

Ils avaient reçu l'ordre de nous escorter à notre camp, pour des raisons de sécurité, interrompant ainsi notre opération de sauvetage. Je me demandais bien où les éléphants étaient allés. Le chef de la police locale m'a dit de monter dans un de leurs véhicules, ce que j'ai refusé. Il fallait savoir fixer dès le départ les limites de la collaboration. Les policiers devaient comprendre que nous n'allions pas nous en laisser imposer, malgré leurs fonctions officielles. Ils n'allaient quand même pas m'arrêter en pleine forêt sans motif valable, et nous allions être escortés par leurs véhicules. Je n'avais aucun endroit où aller, pas de rendez-vous galant, pas de signal sur mon téléphone et je n'étais pas assez bête pour partir en courant dans la forêt. La fuite n'était pas une option et, surtout, je n'avais rien à me reprocher. Il y avait une certaine tension dans l'air. Je n'appréciais pas leurs méthodes, et je pense qu'ils n'appréciaient pas mon attitude. La corruption m'a toujours pué au nez, et ça se sentait. Sunarto était de plus en plus nerveux.

Une fois que nous sommes arrivés au camp, le capitaine m'a demandé si ses hommes pouvaient être nourris. Il fallait aussi prévoir un endroit pour loger tout le groupe, car il n'avait pas l'intention de repartir dans la nuit. Je savais très bien ce qu'il cherchait. Il était hors de question qu'il touche un dollar de nous. Nous avions joué le jeu avec les autorités du pays, accepté de payer des sommes importantes pour avoir le droit de filmer, et avions rencontré toutes les instances officielles pour établir les conditions de notre séjour ici. Nous avions dit oui à toutes leurs demandes, sauf une. Ils exigeaient de voir et d'approuver les films avant leur diffusion, ce que j'avais bien sûr refusé. Toutes ces tracasseries administratives et policières ne m'affectaient pas outre mesure. Je savais qu'il fallait garder une ligne dure et ferme, tout en restant courtois. Il fallait sourire, même si ces pourris me dégoûtaient. Nous étions en pleine mission et nous n'avions pas de temps à perdre. Des éléphants étaient en danger et nous devions nous lever aux premières lueurs du jour pour essayer de les retrouver.

Nous les avons eus aux fesses pendant cinq jours ! Nous avons dû assumer les coûts de leur séjour, mais jamais nous n'avons accepté de leur verser le pot-de-vin qu'ils exigeaient pour assurer notre sécurité.

Au petit matin, nous avons retrouvé la horde. La quinzaine d'éléphants sauvages s'étaient réfugiés dans une plantation de palmiers. Avant même que nos caméras ne puissent capter ce moment, de puissantes détonations ont retenti de nulle part. Des feux de Bengale ! La compagnie propriétaire de la plantation venait de déployer un groupe de travailleurs pour chasser les éléphants de la palmeraie. Le troupeau, effrayé, courait dans tous les sens, mais il était vite rattrapé par la petite armée. Les pétarades des fusées pyrotechniques permettaient aux ouvriers de diriger la horde, de la traquer et de l'encercler. Les pauvres bêtes ne savaient plus où aller. Un vrai cirque en pleine nature, où les pachydermes en fuite étaient devenus les tristes victimes d'une chasse organisée.

Après un long moment, les éléphants ont réussi à quitter la première plantation, mais ils ont dû rapidement faire demi-tour, devant les attaques répétées des employés de la plantation voisine, qui les attendaient en grand nombre.

Nous ne savions plus où donner de la tête. Les éléphants non plus d'ailleurs. Tout cela était ridicule. Nous avons trouvé un promontoire qui surplombait les deux plantations et avons installé nos caméras. Un petit sentier séparait les deux propriétés, et les éléphants, épuisés après des heures de traque sans répit, s'y sont immobilisés quelques instants. Alors qu'ils étaient pris en souricière entre deux arènes de combat, nous pouvions voir la détresse dans leur regard.

Les hommes de chaque clan se réorganisaient. La chasse au gros était sur le point de reprendre. Les poursuites infernales ont continué jusqu'à la tombée de la nuit, et chaque petite armée de travailleurs était prête à tout pour déloger les intrus de son territoire. La scène était irréelle, mais aussi éloquente. Il n'y avait tout simplement plus aucun habitat protégé pour permettre la survie de ces éléphants dans cette province. Les parcs nationaux avaient été réduits à presque rien, et le gouvernement indonésien, complice de l'industrie, continuait de fermer les yeux devant les actes illégaux. Tout se déroulait sous l'ombrelle bienveillante des politiciens, véritable chapiteau de la honte où l'on sacrifie les derniers éléphants en fuite pour toucher sa part du magot. Et on ne parle pas des rhinocéros, dont les jours sont aussi comptés, ainsi que des tigres, des orangs-outangs et autres espèces victimes de ce cirque politique corrompu.

Sunarto se réjouissait de la présence de nos caméras. Tous les travailleurs savaient que nous étions là, à courir d'un ennemi à l'autre, pour enregistrer chaque détail de l'opération. Il n'y a pas si longtemps, une douzaine d'éléphants avaient été retrouvés morts, empoisonnés par des fermiers sans scrupules. Notre présence empêchait peut-être un nouveau carnage, mais qu'allait-il rester de tout cela le lendemain, après notre départ ? « Chaque petite victoire est importante et ils ont eu droit à un sursis aujourd'hui », a conclu le biologiste avec philosophie.

Les efforts de Sunarto et de son équipe pour sauvegarder les dernières populations d'éléphants sauvages étaient remarquables, mais ils ne suffisaient pas. Pas plus que nos images n'allaient changer le sort de ces éléphants déjà condamnés. Il ne restait plus que 200 éléphants dans toute la province de Riau, un triste bilan pour les survivants de cette région qui a tout cédé à l'industrie, les forêts, les terres, les animaux et peut-être même la fierté d'un peuple. En deux jours, nous en avons dénombré 34, soit près de 20 % de la population totale, et ils étaient tous dans des plantations.

Je n'oublierai jamais ce moment de pure folie humaine, pas plus que je n'arriverai à chasser de mes pensées les regards paniqués de ces éléphants en détresse.

Qu'elle devenait lourde, douloureuse et affligeante cette odyssée qui révélait de plus en plus de tragédies. À la nuit tombante, dans ces brumes finales où s'achevait presque la confiance en l'humanité, nos espoirs étaient toujours en cavale, pourchassés par les délires de nos semblables. Un autre déshonneur, une incompréhension, une absurdité et, surtout, une autre désillusion.

Leuser, Rea et les autres victimes

Notre séjour en Indonésie nous a permis de mesurer l'ampleur de la catastrophe en cours. Sur les îles de Sumatra et de Bornéo, nous avons été confrontés à la transformation des plus belles forêts primaires de la planète en monocultures qui détruisent la vie animale et végétale. Il ne restera bientôt plus rien ici si les plans de développements proposés, qui favorisent encore les grandes entreprises, sont mis à exécution.

Nous avons voyagé dans ce pays à travers ses plantations de palmiers à huile sans trouver de signes de vie. Toute la vie sauvage a été tuée ou réduite à une peau de chagrin pour privilégier la culture d'espèces végétales à croissance rapide, qui rapporte gros aux propriétaires ou aux actionnaires. Pourtant, nous avons vu le visage de la pauvreté un peu partout. Il n'y a pas plus de livres dans les écoles aujourd'hui, et on peine trop souvent à survivre dans les villages ruraux

qui ont perdu leurs forêts et leurs animaux. Les concessions accordées aux grandes compagnies rapportent pourtant au gouvernement, grâce à un système de redevances bien connu dans le monde des affaires, mais l'argent n'est pas redistribué selon des modèles économiques qui servent le bien commun. L'épreuve des uns favorise surtout la fortune des autres.

Au cours de notre périple, nous avons bien tenté de trouver les derniers rhinocéros de Sumatra, une espèce en danger critique d'extinction, mais le défi était beaucoup trop grand. Il ne restait qu'entre 200 et 250 représentants de cette espèce répartis sur tout le territoire, et les scientifiques doutaient même de la viabilité génétique de l'espèce. La partie semblait déjà jouée pour ces derniers rhinocéros, que l'on braconne encore aujourd'hui pour la revente de leurs cornes.

Commercialisées sous forme de poudre, ces cornes sont parées de toutes sortes de propriétés médicinales et on s'en sert pour soigner à peu près toutes les maladies, des rhumatismes jusqu'au cancer. On leur attribue même des vertus aphrodisiaques. Sur le marché noir, le gramme de poudre de corne de rhinocéros vaut plus cher que le gramme d'or ou de cocaïne. Or, ces protubérances sont faites de kératine, la matière qui compose les ongles, et toutes les études scientifiques ont démontré qu'elles n'avaient aucune vertu thérapeutique. D'un point de vue médical, la consommation de poudre de corne de rhinocéros équivaut au fait de se ronger les ongles ! On annoncera bientôt que l'espèce s'est éteinte, en se demandant probablement comment nous avons laissé faire pareil gâchis.

Les tigres de Sumatra sont aussi en danger d'extinction, avec une population estimée à environ 500 individus. Ces magnifiques prédateurs n'ont plus beaucoup d'habitats pour tenter un retour, et les derniers

recensements confirment une baisse importante des populations.

En Indonésie, il existe une espèce emblématique qui peut encore être sauvée, mais le temps presse : l'orang-outang de Sumatra. Sur l'île, l'espèce est en voie d'extinction. On dénombre pourtant toujours 6 600 individus mais, depuis les années 1990, on estime que les activités de déboisement causent la mort d'environ 1 000 orangs-outangs par année ! Le déclin est spectaculaire et, si rien n'est fait rapidement, il n'y aura plus de représentants de l'espèce sur l'île de Sumatra dans quelques décennies.

Nous avions rendez-vous avec le Dr Ian Singleton au centre de quarantaine du Sumatran Orangutan Conservation Program (SOCP), le programme de conservation des orangs-outangs de Sumatra. En plus de sa mission de recherche, l'organisme recueille des victimes de la déforestation, de jeunes orangs-outangs capturés par les braconniers, qui les revendent comme animaux de compagnie.

La visite des lieux avait de quoi étonner. Il y avait de jeunes orphelins en période de réadaptation, que l'équipe de Ian espérait relâcher dans la nature. D'immenses cages métalliques permettaient à ces rescapés d'interagir et de réapprendre à vivre comme des grands singes, loin des humains. Des soigneurs et des vétérinaires s'en occupaient sur une base quotidienne, mais on tentait de minimiser les contacts. Ici, il n'y avait pas de touristes ni de stagiaires qui paient pour prendre des bébés dans leurs bras. Et surtout pas de couches ou autres artifices ridicules qui n'ont rien à voir avec la vie sauvage. L'équipe était professionnelle et, malgré un financement populaire difficile, on ne faisait pas de compromis sur les conditions d'apprentissage des pensionnaires.

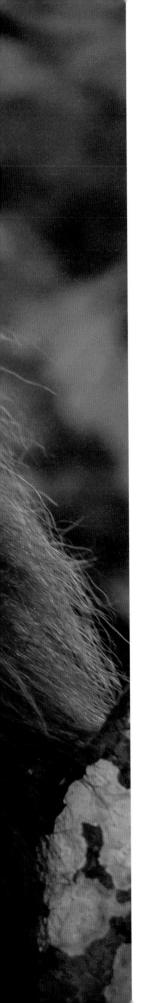

Il y avait aussi une section du centre où reposaient de grands adultes condamnés, des orangs-outangs qui ne pouvaient pas être relâchés dans la nature pour toutes sortes de raisons. Ian leur avait aménagé de spacieux enclos confortables, pour qu'ils puissent terminer leur vie sans tracas et sans souffrance. Il m'a présenté Leuser, un grand mâle que le SOCP a confisqué à des propriétaires, en février 2004. Après huit mois de réadaptation, il a pu être relâché dans la nature avec succès. Malheureusement, en 2006, Leuser s'est aventuré près d'un village, en bordure d'une forêt. Les habitants, équipés de carabines à air comprimé, l'ont pris comme cible mouvante et on a retrouvé 62 plombs dans le corps du pauvre animal ! On avait visé les yeux et le grand mâle est devenu complètement aveugle. On l'avait aussi sauvagement battu à coup de machette et de bâton. Il était en très mauvais état. Une large entaille de 40 cm sur une cuisse témoignait de la violence de l'assaut. Il a été rapatrié au centre de quarantaine où l'on a pu soigner ses blessures et retirer 14 des 62 projectiles. Leuser s'est finalement bien remis de cette attaque sauvage, mais les possibilités de survie dans la nature pour un orang-outang aveugle demeuraient nulles. On aurait pu bien sûr euthanasier le pauvre mâle, mais l'équipe a décidé d'en faire un des résidants permanents. Il allait donc rejoindre la liste des rescapés d'attaques insensées, condamnés à finir leurs jours au centre de quarantaine.

En 2010, on lui a présenté Gober, une femelle âgée qui avait aussi perdu la vue, atteinte de cataracte. À la surprise générale, l'année suivante, le couple a donné naissance à des jumeaux en parfaite santé. Gober était aveugle depuis plus de quatre ans lorsqu'un chirurgien spécialiste en traitement de la cataracte a tenté une délicate opération pour lui redonner la vue. L'intervention fut un succès et la première chose que Gober a pu voir à son réveil, c'était le petit Gantend, et sa sœur, Ginting. Les deux jeunes orangs-outangs vont très bien et leur mère en prend grand soin. Ils pourront être relâchés dans la nature quand ils auront atteint la maturité.

J'étais touché par l'histoire remarquable de ces rescapés. Les orangs-outangs ont quelque chose de distinct, une certaine proximité dans le geste et le regard qui nous lie à eux. D'ailleurs, des scientifiques ont réussi à séquencer le génome de l'espèce en 2011. Ils ont trouvé une similarité à 97 % avec le génome humain !

Ian nous a présenté les six jeunes candidats qui allaient être bientôt envoyés au camp reculé de Jantho, situé à l'extrémité ouest de l'île. Le SOCP possédait de petites infrastructures isolées, loin au cœur de la forêt, qui servaient de site de réintroduction dans la nature. Les préparatifs allaient bon train et nous allions faire le voyage avec eux. Les jeunes adultes avaient appris à se comporter comme des orangs-outangs sauvages durant leur longue période de réadaptation. Leur grande cage était en retrait, et les jeunes construisaient quotidiennement des nids, comme dans la nature. Ils se nourrissaient aussi exclusivement de fruits, de lianes, d'écorces et de végétaux, les mêmes que ceux qu'ils allaient retrouver dans les arbres de leur future forêt.

Nous les avons observés pendant un long moment, tout en gardant une certaine distance. Ils étaient prêts et ils allaient bientôt profiter d'une liberté que la majorité d'entre eux n'avait probablement jamais connue auparavant. Ils étaient des rescapés de la détention, confisqués à des propriétaires illégaux qui s'en servaient comme animaux de compagnie. Leurs mères avaient sans doute été tuées lors d'une opération de déboisement, et des braconniers avaient dû capturer les nouveaux orphelins pour les revendre sur le marché noir.

Nous écoutions Ian nous parler de ces jeunes pensionnaires qu'il affectionnait quand un des vétérinaires nous a rejoints en hâte. Un grand mâle venait d'arriver au centre. Les autorités locales l'avaient trouvé dans une plantation et il avait été battu, laissé pour mort au milieu des palmiers. Il fallait l'examiner rapidement et probablement préparer la salle d'opération.

Nous sommes descendus pour constater les dégâts. Le pauvre animal avait une lacération profonde sur le front, une longue cicatrice qu'il allait garder à jamais, triste souvenir de sa rencontre avec une certaine humanité. Une épaule était complètement disloquée et une de ses mains était tuméfiée et infectée. Nous avons compté une vingtaine de plaies ouvertes sur son corps émacié. Il avait probablement été battu à coup de hache, de machette et de perche de bambou, sentence sordide pour avoir sans doute volé quelques fruits. Ian n'en était pas à sa première intervention du genre. Encore une fois, le niveau de violence utilisé témoignait des traitements inhumains infligés à ces grands singes qui osaient pénétrer à l'intérieur des terres agricoles et des plantations. Il racontait que les employés battaient souvent les orangs-outangs par simple plaisir.

La pauvre bête respirait difficilement et on pouvait ressentir toute la souffrance dans son regard perdu. L'équipe de vétérinaires était prête. La première étape du sauvetage consistait à endormir l'animal. Il allait ensuite être transporté en salle d'examen où des radiographies allaient permettre d'évaluer la gravité de ses blessures.

Le grand mâle, baptisé Rea, était plutôt âgé. Malgré les circonstances tragiques, il avait de la chance de se retrouver ici, car les rescapés du camp des atrocités ne représentaient qu'une infime partie des orangs-outangs victimes de la déforestation et des braconniers.

Pour les autres, la majorité en fait, c'était la mort, loin des regards, dans l'insouciance et l'indifférence.

Les premiers tests ont confirmé que Rea était dans un état critique. Une arme avait été utilisée et l'on pouvait compter une quinzaine de projectiles sur les radiographies. On avait encore une fois visé les yeux, mais les plombs avaient raté la cible de quelques centimètres à peine. L'examen complet a aussi confirmé la présence de lésions internes importantes. L'équipe de vétérinaires allait devoir pratiquer plusieurs interventions chirurgicales et s'armer de patience.

J'étais estomaqué et choqué. Le sort tragique de cet orang-outang était une démonstration éloquente de l'incapacité du gouvernement indonésien à protéger ses forêts et ses habitants, malgré ses lois en vigueur.

Rea a passé plus de six heures en salle d'opération. Il avait survécu, pour le moment, mais les vétérinaires allaient probablement devoir le réopérer pour l'amputer d'une main. Il récupérait, installé dans une cage annexée à la salle de chirurgie. L'équipe médicale allait suivre l'évolution de son état de santé au cours des jours suivants.

Nous sommes partis sur les routes du pays pour rejoindre le site de réintroduction de Jantho, dans la province d'Aceh. Les six pensionnaires du centre de quarantaine qui allaient être relâchés dans la nature avaient été placés dans des cages de transport, et des vétérinaires assuraient un certain confort aux orphelins en transition. Ces orangs-outangs avaient réussi la phase de socialisation et ils savaient maintenant comment interagir avec d'autres représentants de leur espèce. Le chemin qui menait vers la liberté allait être long, une douzaine d'heures en véhicules tout-terrain, spécialement adaptés pour franchir les rivières et zones marécageuses.

Le premier pavillon de la petite station était situé aux abords d'une rivière. Les orangs-outangs ne nagent pas, ce qui restreint leurs déplacements. Nos activités humaines ne pouvaient pas déranger les occupations normales des grands singes qui vivaient dans le site de réintroduction, situé de l'autre côté. Les six candidats allaient bientôt entrer dans leur phase finale d'adaptation avant d'être relâchés. Ils allaient passer, pour la dernière fois de leur vie, un court séjour en cage, qui allait leur permettre de repérer l'ambiance des lieux.

Plusieurs des orangs-outangs relâchés ici possédaient un petit émetteur sous-cutané servant à retrouver leur trace au cœur de cette jungle difficilement accessible. Nous avons suivi les signaux et, après quelques heures de marche, nous avons retrouvé des adultes qui avaient recouvré leur liberté plusieurs années auparavant. Pour la première fois, je pouvais enfin assister au spectacle grandiose d'une nature en équilibre. Les orangs-outangs n'étaient pas natifs d'ici, mais ils avaient su s'adapter à ce nouveau territoire, loin de la folie des hommes. Ils respiraient la santé et avaient retrouvé une vie sauvage de grands singes. Le travail de Ian et de son équipe était remarquable. Ils savaient redonner une qualité de vie à des animaux qui avaient dû affronter la bêtise humaine et se battre pour simplement exister.

Un des anciens pensionnaires, Ruben, avait adopté le secteur des cages d'intégration. Il visitait régulièrement les candidats qui allaient être relâchés. De l'autre côté des barreaux, il interagissait avec les nouveaux, contribuant ainsi à l'apprentissage des futurs libérés. Ruben n'avait pas de crainte envers les humains, ce qui agaçait un peu Ian. Il aimait plutôt que ses protégés fuient la présence de leurs ennemis. Mais Ruben était une exception parmi le groupe. Il agissait maintenant comme une sorte d'ambassadeur pour toucher les âmes de certains humains en visite et j'appréciais ce contact privilégié avec ce représentant d'une espèce si attachante, si impressionnante. Les pensionnaires qui réussissaient à franchir toutes les étapes du long processus de réadaptation du SOCP avaient de la chance. Ils allaient retrouver une vie d'orang-outang à l'état sauvage, sous la bienveillance de ce petit groupe de sauveurs qui personnifiait une belle facette de notre humanité.

Mais tous les orangs-outangs n'avaient pas cette chance. Le soir, nous avons reçu un appel des vétérinaires du centre de quarantaine. La santé de Rea s'était rapidement détériorée et, malgré les interventions répétées de l'équipe médicale, le grand mâle était décédé.

Le sort des dernières populations d'orangs-outangs de Sumatra dépend de l'engagement, de la détermination et de la passion de gens comme Ian Singleton et son équipe. La protection des dernières forêts de Sumatra revêt une importance capitale pour éviter d'autres drames comme celui de Réa.

Encore une défaite crève-cœur. Un nouveau revers dans la lutte contre l'ignominie et la bassesse de certains de nos comportements d'insouciance. De quel droit acceptons-nous de demeurer impassibles et insensibles devant l'extinction planifiée de toutes ces espèces, dont l'avenir ne dépend que de nous ?

TROISIÈME PARTIE

Le retour à la maison

L'ARCTIQUE

•

LE SAINT-LAURENT

L'ARCTIQUE

Le sel des solitudes

Rejoindre notre voilier pour une nouvelle mission, c'est comme retourner à la maison. Une maison sans ancrage, sans soubassements, sans fondations, ni même, parfois, sans trop de fondements. J'ai longtemps été comme le SEDNA. Sans bases et sans racines. Et peut-être le suis-je encore quand les illusions familiales deviennent des chimères de l'âme, emportées par le temps et l'éloignement, qui nous ramènent inévitablement vers un certain constat d'inadapté social aux yeux de ceux et celles qui souffrent autant de notre présence que de notre absence.

La solitude du grand large ne s'explique pas. Elle se vit, comme un refuge, dans la douleur et dans l'infinie claustration d'une vie vagabonde, nomade et bohémienne, peut-être un essentiel chemin pour dire et constater l'épreuve du temps. Ce temps qui passe et qui cumule les aventures des marins, qui jouent aux montagnes russes sur les flots incessants d'une vie portée par les vagues à l'âme. Mais aussi le temps qu'il fait, qui marque à tout jamais le présent et déshérite l'avenir, par les meurtrissures de nos habitudes de vie qui influent sur le climat d'une planète qui suffoque sous une chaleur nouvelle. Des décennies à dire et à montrer l'urgence d'agir n'ont pas suffi.

J'ignore pourquoi je reprends la mer, encore une fois. Autrefois porté par l'illusion de changement, j'ai longtemps pensé que notre travail de conscientisation allait contribuer à transformer le monde. Le temps passe. Rien ne change, ou si peu. On peut bien sûr se bercer d'illusions quand on regarde son jardin, ses amis et sa communauté, et applaudir aux initiatives de développement durable que l'on tente d'appliquer localement. Mais sommes-nous confrontés au simple paradoxe des bonnes consciences ?

Prendre la mer et voir défiler les pays et les continents, c'est constater le lourd décalage entre les peuples devant un défi qui devrait se relever sans appel, sans hésitation et sans différence. Les riches peuvent aujourd'hui s'offrir une dose de bonne conscience, non pas en réduisant leur consommation, mais en améliorant leur façon de consommer. Alors que nous sommes confrontés au miroir des jours, est-ce que l'argent et les technologies nouvelles mis au service de nos lucidités toutes relatives viendront sauver le monde ? Je ne le crois pas. Je n'ai pas vu de Tesla dans les ghettos populeux de la planète, là où vivent ceux et celles qui devront pourtant faire partie de la solution. Je ne dénigre pas les visionnaires et les porteurs d'espoir de nos sociétés riches. Au contraire, ils contribuent, à leur façon et avec leurs moyens, au changement essentiel des mentalités. Mais il faut savoir regarder au-delà des fenêtres dorées de nos palais d'illusions si l'on veut réellement sauver le monde.

Reprendre la mer pour relancer une mission d'espoir, c'est aussi retrouver sa cabine et son passé qui, en apparence, n'ont pas changé depuis la dernière escale.

C'est ici, dans les souvenirs du temps, qu'il faudra fouiller ce passé pour trouver l'espoir des petites victoires. Cet espoir qu'il incombe à notre mission de propager.

Rejoindre sa cabine, c'est aussi et surtout retourner dans sa propre biographie. Un journal chargé d'histoires, écrit à l'encre rouge des grands moments de ma vie. Ceux qui ont forgé ma personnalité et qui ont fait de moi ce que je suis devenu. Je parle à la première personne, parce que, après toutes ces années, les membres d'équipage ont changé. Les anciens marins, même les plus aguerris, sont partis. Ils ont quitté le navire pour retrouver une vie qui, en apparence, se veut plus stable et rassurante. Je les comprends. Il m'arrive parfois de les envier. Ils ont renoncé à l'usure du temps, qui gagne toujours plus en cadence quand on vit et divague à flanc de vagues vagabondes. Les déferlantes, qui font inlassablement monter l'écume des jours, sont plus rares sur le plancher des vaches.

En mer, le temps s'étire et il nourrit l'éternelle réflexion existentielle qui dévore et consomme tout sur son passage. À la fin de chaque étape des grands voyages, une bonne dose d'incertitude s'offre en héritage, un voile persistant qui tamise discrètement l'humeur des aubes qui s'élèvent aux chants nouveaux et éphémères de cette renaissance temporaire.

Ici, sur les murs et dans l'air de ces cabines inchangées, on sent la joie, la peur et l'infinie tristesse de ceux que nous avons laissés derrière nous. Ce chagrin est nôtre, bien sûr, mais il crie aussi la souffrance de l'autre. Le prix de nos départs s'est compté trop souvent en vies brisées, en couples en dérive, en avenir sans repères, en familles en lambeaux et en catastrophes affectives, malgré l'absolu désir de compréhension et de bonnes intentions. Il y a — et il y aura toujours — une âme perdue ou meurtrie, oubliée sur le pont d'un navire ou laissée à la dérive au large du quai des solitudes. C'est le sort trop souvent obligé, et parfois fatal, pour nos proches, ceux et celles que l'on aime et qui acceptent de nous laisser partir, de nous laisser grandir. On peut se demander si tout cela en vaut vraiment la peine. « Tout ça pour ça », disent certains. « Tout ça pour toi », s'écrient plutôt nos victimes.

Aujourd'hui, en ce jour de départ, tout est là dans ces cabines. L'histoire et le temps, engravés dans les murs de bois qui chantent le passé à qui peut bien l'entendre.

Des histoires personnelles rarement dévoilées, par peur ou par pudeur, qui dépassent ce que nos films acceptent de partager. Il y a dans cette cabine quelque chose d'indescriptible, un sentiment étrange, drôle de mélange d'angoisse, de joie, de peur, de tristesse et d'inconnu.

Sur un des murs de sa cabine, chaque marin accroche la toile de sa vie. Un tableau imaginaire, qu'il contemple et étudie à l'occasion, surtout à l'heure des remises en question. Comme devant l'œuvre d'un grand maître, on peut passer beaucoup de temps à chercher des références, des messages, des révélations qui ne viennent pas toujours. Ce tableau, qui reflète ce que nous sommes, nous devrions pourtant le connaître. Malgré cela, avec le temps, on se surprend à chercher des racines dans cette toile imaginaire qui représente notre arbre de vie. On scrute, on examine et surtout on espère, mais le constat est trop souvent sans appel. Ce tableau n'a tout simplement pas assez de racines profondes. On pourrait tenter d'en inventer. Après tout, ce n'est qu'une œuvre imaginaire. Mais l'homme qui plantait des arbres a d'abord su cultiver sa terre, la préparer, la chérir pour espérer récolter les fruits de toute une vie d'efforts et d'attentions. Au final, on ne récolte que ce que l'on sème. Un arbre sans racines profondes résiste mal aux intempéries, surtout quand des rafales incessantes soufflent à contresens de sa vie. Lors des tempêtes de l'âme, même le marin aguerri tremble devant l'incertitude et la perplexité de ce qu'il est devenu. Par vents contraires, contre vagues et marées intérieures, il chancelle, humblement, en silence et en souffrance.

À la veille d'un autre départ qui saura ramener la peur de tout perdre, il est peut-être plus difficile aujourd'hui de puiser l'énergie nécessaire à cette prochaine mission dans le seul espoir de sauver le monde. Peut-être est-ce l'usure du temps, ou encore ce sentiment d'impuissance à tout tenter pour dévoiler une crise environnementale troublante, sur une Terre d'indifférences et d'insouciances. Un monde où les écrans d'ordinateur et les téléphones « intelligents » permettent une formidable libre circulation de l'information. Une société tellement axée sur la consommation de ces actualités banalisées par la surabondance que plus rien ne surprend dans ce monde où tout devient jetable, autant les causes que les gens.

À quoi bon les racines si elles ne servent pas à nourrir l'être qui se dresse et s'élève ? Mais comment voir la grandeur de l'Homme, si nos yeux ne font que s'abaisser pour mieux regarder nos écrans ?

À la recherche du temps perdu, appartenons-nous, marins, à cette famille magnifique et lamentable qui est le sel de la terre ?

Si le rêve de sauver la planète n'est plus qu'une nouvelle illusion, et que les racines familiales n'arrivent pas à s'ancrer définitivement dans ce sel concret et terrestre, que reste-t-il de tout ça, qui fut pourtant la raison des raisons ? Il ne demeure alors que l'autre sel, celui de la mer, que l'on rejoint par une énième fuite au large, et qui aide à diluer les illusions à grands coups de larmes versées.

En cette première nuit de retour dans l'antre de ta vie, ainsi soit-il, et ainsi sois-tu, marin. Car demain, à l'aube de cette nouvelle mission, tu auras remis le masque du brave déterminé à changer le monde. Mais ce soir, face à toi-même, dissimulé dans les entrailles humides de ta cabine refuge, oui, ce soir, tu peux pleurer ta vie devant ce tableau de toi, pour répandre à tout vent les larmes de ta propre solitude, qui iront se déposer sur les flots endormis d'une autre mer de partage. Une mer complice, qui accueille en silence, encore une fois, les sels de ton âme, ramenés à la surface par la solitude et le temps.

Et on se demande pourquoi la mer a un goût de sel…

Le retour en Arctique

Après une trop longue escale à l'île de la Réunion, une bien mauvaise nouvelle nous attendait. La télévision publique canadienne, principal partenaire de notre expédition, faisait face à des compressions importantes dans son budget de fonctionnement. On a préféré les émissions de variétés et les jeux-questionnaires à nos missions environnementales, qui ne rapportaient sans doute pas assez de revenus publicitaires. Cela sentait la fin, une triste conclusion, après tant d'années d'efforts et de sacrifices. *SEDNA* était à l'autre bout de la planète et les coffres étaient vides, encore une fois, et n'eût été la proposition *in extremis* et généreuse d'une chaîne de télévision spécialisée dans les documentaires, nous aurons été contraints de déposer notre bilan, d'accepter la faillite d'une entreprise peut-être trop ambitieuse pour notre petit marché. Nous avons appareillé vers le Québec et l'Arctique, pour permettre de poser un dernier regard sur les problématiques environnementales de chez nous. La mission était réduite de façon considérable, mais elle se poursuivait.

Nous sommes rentrés au pays sans tambour ni trompette. Je n'avais pas le cœur à la fête et, malgré le succès populaire de nos films, je ne sentais plus cette volonté des gens d'ici de changer les choses. Je ressentais plutôt une sorte de résignation collective devant les défis environnementaux, et je préférais encore miser sur nos programmes scolaires pour amorcer le réel changement sociétal de demain, celui qui représentait probablement notre investissement de la dernière chance.

Nos arrivées impromptues dans les ports d'escale faisaient toutefois grand bruit. On suivait nos expéditions depuis les premiers jours, et *SEDNA* représentait

maintenant un symbole fort, une figure de proue connue des Québécois. On nous félicitait et nous rappelait l'importance de notre travail. Ces témoignages d'amour réconfortaient le cœur de nos marins engagés et nous motivaient pour le dernier sprint final.

Nous avons fait escale aux îles de la Madeleine, chez nous, là où tout a débuté. Il fallait ravitailler le navire avant de mettre le cap sur l'Arctique. J'avais convaincu Stéphan, le capitaine des premiers jours, de reprendre la barre du grand voilier. Il avait été l'artisan de notre réussite du passage du Nord-Ouest en 2002 et j'avais besoin de lui, de sa connaissance et de son expérience de navigation dans les glaces menaçantes de l'Arctique. Il allait aussi pouvoir témoigner des changements entre le Grand Nord d'aujourd'hui et celui que nous avions connu 12 ans auparavant. Les rapports scientifiques sur la diminution progressive de la banquise n'annonçaient rien de bon. Le climat avait déjà fait des dommages importants dans cette partie sensible de la planète et nous voulions aller constater *de visu* l'effet des changements climatiques dans ce monde de glace.

SEDNA filait sur la route du Nord avec une facilité déconcertante, enregistrant des pointes de vitesse records à la voile. Aucune glace n'entravait notre progression et, mis à part quelques icebergs descendus du Groenland, il n'y avait plus aucun signe de cette banquise menaçante qui nous avait causé tant d'ennuis en 2002. Nous étions pourtant à la même période de l'année, mais tout avait changé. Après 12 ans seulement, nous étions en mesure de constater, avec grande émotion, l'ampleur des changements en cours, et témoigner de la transformation spectaculaire et inquiétante de l'Arctique. On aurait pu bien sûr attribuer ces variations majeures à une année d'exception, mais ce n'était pas le cas. Les images satellitaires de la NASA, enregistrées au cours des deux dernières

décennies, venaient appuyer les rapports scientifiques des spécialistes de l'Arctique. La vieille glace de plusieurs années, celle qui menaçait les navires qui osaient s'aventurer sur les routes du Nord, avait tout simplement disparu. L'Arctique s'était vidé de son grand manteau blanc permanent. La banquise d'hiver n'était dorénavant composée que de glace de première année, plus mince et plus friable, et elle allait fondre rapidement en été sous des températures trop élevées.

Le spectacle était désolant. Tout autour de nous, c'était l'eau libre. Sur les plages, dans les montagnes, le blanc de la neige avait été remplacé par la grisaille du sol. Les langues glaciaires avaient reculé et des torrents descendaient des glaciers pour former des rivières nouvelles. Stéphan et moi étions bouche bée devant pareil constat.

Je réalisais que l'Arctique que j'avais si souvent fréquenté avait changé, il s'était modifié, liquéfié. Ceux et celles qui n'avaient pas eu la chance de voir ce Nord d'avant, cet Arctique véritable, devraient désormais s'en remettre aux archives. L'Arctique, tel que je l'avais connu, n'existait plus !

Sans banquise pour chasser le phoque, l'ours polaire souffrait dans un silence d'indifférence. On en parlait peu maintenant, il avait eu ses heures de gloire, une dizaine d'années plus tôt. La population semblait avoir accepté l'inévitable déclin de la vie arctique, et les médias n'aimaient pas trop répéter de vieilles histoires. J'avais plutôt l'impression qu'il fallait réveiller les gens, crier notre frustration devant ce silence qui portait l'inaction. Nos supplications, nos messages et nos appels restaient pourtant lettre morte, car nous n'étions qu'une poignée de privilégiés qui pouvaient encore témoigner du scénario catastrophe qui s'écrivait ici. On nous avait déjà donné la parole. Nous aussi avions eu nos heures de gloire.

Nous avons mouillé l'ancre devant le petit village de Pond Inlet, une de mes destinations préférées sur cette planète. Nous devions réviser nos plans de tournage. Je me souvenais de nos premiers voyages ici, quand la grande banquise dérivante limitait le nombre de bateaux en visite. Aujourd'hui, autour de nous, il y avait de tout : des plaisanciers en attente pour s'engager dans le passage du Nord-Ouest, avec leur yacht de luxe, d'immenses cargos, des petits voiliers fragiles et téméraires, qui n'avaient plus peur de se faire écraser par la pression de la glace, des navettes militaires et des bateaux de la garde-côtière pour affirmer notre souveraineté et des bateaux de croisière, énormes et inadaptés pour ces destinations, qui transportaient des touristes d'un peu partout. Ces hordes d'humains débarquaient au village et prenaient des photos, comme on visite un zoo ou une attraction populaire. Cet afflux de citadins en quête d'aventure m'inquiétait. En même temps, n'étaient-ce pas ces mêmes personnes qui avaient suivi nos expéditions et qui voulaient aujourd'hui emprunter les mêmes routes que celles que nous leur avions présentées ? À force de répéter qu'il n'y aurait bientôt plus de glace, ici, au nord du Nord, ils avaient peut-être fini par nous croire. Une chose était certaine, il y avait des bateaux, trop de bateaux à mon goût. Mais peut-être étions-nous les premiers responsables de ce qui nous chagrinait tant aujourd'hui.

J'avais invité des amis de longue date, des explorateurs qui connaissaient mieux que quiconque ce territoire d'exception. Gilles et Dave cumulaient ensemble près de 100 expéditions arctiques, et ils pouvaient témoigner des changements en cours. Nous avons décidé de faire contre mauvaise fortune bon cœur et nous sommes partis patrouiller dans des secteurs autrefois inaccessibles, des fjords impressionnants que nous avions survolés à plusieurs occasions, sans jamais pouvoir y naviguer. Il était aujourd'hui facile et sécuritaire de diriger *SEDNA* dans ces sites extraordinaires, rarement explorés auparavant.

Nous avons emprunté des bras de mer et poussé notre voilier loin à l'intérieur de ces terres nouvellement accessibles. À chaque détour, le spectacle de la nature se donnait en offrandes, comme des cartes postales que nous devions immortaliser avant qu'elles ne se transforment à nouveau. Tout avait changé, sauf la splendeur ineffable et presque émouvante des lieux. Nous avions sans doute échoué dans notre mission de transmettre la simple beauté du monde. Si nous avions été en mesure de partager une infime partie de l'émotion qui se dégage de ces paysages, à travers nos films et nos photos, les hommes auraient ressenti le besoin de conserver et de protéger cet environnement unique. On dit que l'humain protège normalement ce qu'il aime. Alors, comment avons-nous pu perdre ce combat pour préserver ce que nous avons sans doute de plus beau, de plus précieux et de plus impressionnant ?

Nous ne voulions pas garder ces images d'un Arctique sans glace. Gilles, Dave et moi avions connu et aimé ce territoire plus que tout. Nous ressentions ce besoin de renouer avec le passé, avec nos références visuelles, quand la blancheur des grands espaces donnait aux lieux toute sa splendeur d'immensité. Nous nous sommes donné rendez-vous au printemps suivant, sur la banquise, quand la mer et la terre ne font qu'un, et que la glace d'hiver unifie cette contrée qui, inexorablement, n'échappera pas aux douceurs du temps.

La banquise d'hiver

L'hiver avait été exceptionnellement froid, de quoi bien englacer le territoire et sécuriser notre expédition en motoneige. Nous étions en juin, ce qui correspond à la période propice pour observer les animaux de l'Arctique. Chaque printemps, la banquise se brise loin au large du petit village de Pond Inlet. Les Inuits profitent de ce temps de l'année pour chasser les mammifères marins qui se regroupent aux abords de la glace. La nuit était chose du passé sous ses latitudes, et cette clarté perpétuelle accélérait le processus de photosynthèse. Les algues de glace s'installaient sous la banquise, ce qui favorisait la prolifération de toutes les autres espèces, du krill aux baleines, en passant par les poissons. Les prédateurs étaient aussi attirés par cette abondance soudaine de nourriture. Les oiseaux migrateurs arrivaient en grand nombre, tout comme les phoques, les morses, les baleines boréales et les narvals. Tout ce qui vit ici se dirigeait vers ce que tout le monde appelle le *floe edge*. D'un côté, la mer. De l'autre, la glace.

Cette soudaine abondance de vie attirait inévitablement le grand seigneur de l'Arctique, l'ours polaire, qui n'allait pas manquer pareil regroupement pour chasser avec une relative facilité. Il était étonnant de constater comme tout avait repris sa place, combien tout semblait normal. La vie dépendait de la glace en Arctique et, quand elle était là, les cycles naturels se remettaient à fonctionner, comme ils l'avaient toujours fait depuis des millions d'années. Nous savions que cette apparente impression de normalité n'était qu'éphémère, alors il fallait savoir en profiter.

Dave et Gilles m'accompagnaient. Nous avions monté nos tentes à proximité de la banquise. En ce temps de l'année, tout le monde vivait là, sur cette mer gelée

qui bougeait, se fracturait et réagissait aux températures chaudes de juin. Le mercure atteignait régulièrement 15 °C, ce qui était anormalement élevé pour la période. Nous devions demeurer prudents, car la banquise avait déjà commencé à se fissurer et de longues crevasses s'étaient formées. Avec les années, nous avions pu constater que les printemps étaient de plus en plus hâtifs, ce qui réduisait de façon considérable la période de chasse des Inuits.

Ils étaient là depuis un certain temps, patrouillant aux abords de la glace avec leurs motoneiges. Ils attendaient impatiemment l'arrivée des narvals. Ces animaux mythiques étaient les proies préférées des chasseurs et ils procuraient aux villageois une source de nourriture convoitée, qui allait être partagée entre tous les membres de la communauté. La chasse aux narvals était bien réglementée et la population se portait bien. Pour les Inuits, le printemps représentait l'occasion de retrouver leurs racines, d'exprimer leur culture et d'explorer leur territoire. Tous les prétextes étaient bons pour délaisser le village et le confort relatif de leurs maisons. Ils aimaient vivre dehors, installer un camp et profiter de cette nature qu'ils connaissaient si bien. Le confort, la plupart du temps, est une question de perception.

La banquise constituait leur autoroute, le chemin vers cette liberté essentielle, et ils aimaient retrouver les grands espaces. Ils avaient acquis une connaissance inouïe de leur environnement. Je les ai souvent accompagnés et j'ai appris à les découvrir, à les apprécier et à comprendre leur sens de l'humour. Avec générosité, ils m'ont enseigné la nature. Ils ont su développer une capacité d'adaptation remarquable avec les années. Nos plus vieux guides, ceux âgés de 60 ans et plus, étaient nés dans des igloos, à une époque pas si lointaine où les familles nomades dépendaient des phoques et autres animaux pour leur survie. Ils ont vécu d'importants bouleversements sociaux en quelques générations à peine, et ils se raccrochent aujourd'hui aux valeurs traditionnelles qui ont forgé la personnalité de ce peuple fier et fort. Je voue un très grand respect à ces gens d'exception et à leur culture.

Le temps passait et les Inuits arrivaient de plus en plus du village. Il n'y avait pourtant rien de spécial en ce jour comme les autres. C'était une journée calme, sans concentration particulière d'animaux. Nous n'avions pas vu de baleines boréales et, à part quelques morses égarés, il n'y avait rien pour remplir les congélateurs. Malgré tout, les hommes semblaient se préparer à quelque chose. Ils répartissaient les motoneiges à des endroits stratégiques, chargeaient les carabines et semblaient prêts.

Nous les observions sans trop comprendre. Dave est venu me voir et il m'a demandé de sortir les caméras. Il ne savait pas non plus ce qui se passait, mais il les connaissait assez pour sentir que quelque chose allait se produire, bientôt. Nous avons chargé les équipements dans les *komatiks*, ces grands traîneaux inuits parfaitement adaptés à ce monde polaire, puis nous avons attendu.

Sans prévenir et de nulle part, ils sont arrivés. Les narvals se déplaçaient le long de la lisière de glace entre les nombreuses espèces d'oiseaux marins. Ils venaient se nourrir des petits poissons sous la glace, qui avaient mangé les krills, qui avaient à leur tour

brouté les algues de glace. Les chasseurs ont pu tuer quelques narvals et ils ont rapporté à la communauté le fameux muktuk, cette pièce de peau et la graisse qu'ils consomment crues et dont ils raffolent. Les ours polaires sont rapidement arrivés pour profiter des carcasses abandonnées sur la banquise par les chasseurs, et les goélands ont aussi pris part au festin gratuit. Tout le monde a pu se rassasier, et nous avons enfin pu filmer le grand spectacle de l'Arctique, sous les apparences parfois trompeuses que tout va bien au pays des glaces...

LE SAINT-LAURENT

La quête des routes migratoires

Le Saint-Laurent, ce majestueux fleuve aux grandes eaux qui pénètre les terres de mon pays pour le transformer, le façonner, pour lui donner un fort goût de sel et de doux effluves d'iode. Nous ne serions pas ce que nous sommes sans le Saint-Laurent. Cette artère océanique a su nourrir les villageois, mais aussi alimenter les rêves et les passions des populations côtières et insulaires. Elle avait même fait jaillir une obsession chimérique et utopique chez moi, jeune citadin de son époque. À son contact, j'avais décidé de m'embarquer, attiré par son horizon sans fin, sur les flots souvent incertains de cette vie en devenir. Il était donc tout naturel de terminer cette mission là où j'avais tout appris, tout risqué, tout accompli et aussi tout perdu.

J'avais invité Richard Sears, le complice des premiers jours, pour une grande expédition sur les traces de la baleine bleue. Les années avaient marqué nos visages et nos corps, et Richard avait connu de sérieux problèmes de santé. Mais il avait une sacrée tête de cochon, le vieux, et il survivait aux pronostics les plus pessimistes, comme il avait toujours su déjouer ceux qui le croyaient battu. Il avait cette capacité de vous surprendre au virage d'un carrefour de la vie pour remporter une victoire *in extremis*. Il était peu conventionnel et plusieurs critiquaient ses façons de faire, mais jamais je n'avais rencontré un loup de mer avec un tel sens de l'observation. Il remarquait tous les détails sur les mouvements et les comportements

des baleines, et elles n'avaient plus de secrets pour lui. À part, bien sûr, celui qu'il chérissait plus que tout le reste : le mystère de leurs routes migratoires. Rien ne m'était plus cher que de partager avec lui cette dernière odyssée, en poursuivant le rêve de celui qui m'avait tout montré.

Nous avions prévu des routes de navigation qui quadrillaient à peu près tout le golfe du Saint-Laurent, de Gaspé jusqu'aux îles Saint-Pierre et Miquelon. Son obsession pour le plus grand animal de tous les temps se comprenait et elle était contagieuse. Il fallait ressentir toute la puissance du souffle du Léviathan quand il brisait la surface de l'eau à quelques mètres de vous, qu'il vous aspergeait le visage de son crachin salé et qu'il arquait son dos interminable, telle une île, avant de lever sa large queue vers le ciel. Aucun animal ne pouvait vous faire sentir si petit et si vulnérable. Jusqu'à 150 tonnes de puissance et de grâce, de quoi déclencher et alimenter une passion qui ne pouvait s'éteindre, malgré les années et les difficultés.

Le défi de cette expédition était colossal. En près de 40 ans d'efforts et de recherche, personne ne savait où allaient les rorquals bleus lorsqu'ils quittaient le Saint-Laurent à l'automne. C'était vrai aussi pour les rorquals communs et les petits rorquals et bien d'autres espèces de cétacés. On avait marché sur la Lune, fait atterrir des robots munis de caméras sur Mars, envoyé des sondes pour explorer l'univers,

mais on ne connaissait toujours pas les mœurs et les déplacements des géants d'ici, des créatures qui peuplaient les océans de notre propre planète.

Il fallait un navire comme *SEDNA* pour affronter les conditions en haute mer, et nous étions heureux de mettre notre plateforme au service de la science, en patrouillant dans le détroit de Cabot, jusqu'aux limites des frontières canadiennes. Un autre groupe allait couvrir l'estuaire du Saint-Laurent avec de plus petites embarcations. Nous formions une équipe et étions tous déterminés à installer des émetteurs satellites sur le dos des rorquals bleus pour percer le mystère de leurs déplacements. Véronique Lesage, une scientifique de Pêches et Océans Canada, avait réussi à mobiliser les fonds nécessaires à cet important projet de recherche. Le gouvernement avait reconnu l'importance de mieux documenter la vie de ces baleines, surtout depuis qu'elles avaient obtenu le statut d'espèce en voie de disparition au Canada. Véronique allait être responsable de la mission dans le secteur de l'Estuaire.

Nous avons parcouru des milliers de kilomètres. Nous avons longé les magnifiques côtes de la Gaspésie, contourné les îles aux 1000 histoires, rencontré des amoureux de ce golfe majestueux et affronté les vents et les courants des soirs de tempête. Nous avons compté et recensé toutes les espèces de baleines croisées durant cette expédition, sans trop dévier de nos routes. Il fallait demeurer concentrés sur notre objectif et ne pas succomber aux plaisirs d'aller danser avec les autres espèces sur les flots invitants de cette mer intérieure. Nous avons apprécié la présence et l'abondance des rorquals à bosse, des rorquals communs et des petits rorquals qui se nourrissaient dans ce grand bassin océanique. Nous avons fait la course avec les dauphins et les marsouins, avons vu des thons en migration et d'impressionnants requins-pèlerins. Nous avons pu assister au retour inespéré des baleines noires dans le Saint-Laurent, dont les stocks avaient dangereusement diminué au cours des dernières décennies. Les bonnes nouvelles s'accumulaient aussi pour les populations de rorquals à bosse, qui s'étaient remises des abus de nos chasseurs d'hier. Aux États-Unis, l'espèce a même été retirée de la liste des espèces menacées récemment, une preuve que la mobilisation et les mesures de conservation pouvaient donner des résultats encourageants. Nous avions fait tout cela, parcouru le golfe de long en large, mais la déception demeurait grande, immense : aucune baleine bleue n'avait été observée durant l'expédition ! Après des semaines d'efforts et de recherche, nous devions nous avouer vaincus.

Personne ne pouvait expliquer pourquoi ces animaux montraient autant de fluctuations dans leurs déplacements saisonniers. Étaient-ce des cycles normaux ou des variations annuelles en raison de l'évolution des populations de krill dans le Saint-Laurent ? Près de 40 ans d'efforts de recherche, et toujours pas de réponse claire, nette et précise. Le plus grand animal de tous les temps savait se faire discret.

Le Saint-Laurent avait changé considérablement au cours des dernières décennies. Les endroits où l'on rencontrait fréquemment les rorquals bleus semblaient avoir été abandonnés par l'espèce. Au début des années 1980, les baleines bleues étaient régulièrement observées au large des îles Mingan, au large de la côte nord du Saint-Laurent. Pour cette raison, Richard avait choisi le petit village de Longue-Pointe-de-Mingan pour installer sa station de recherche. Même si de nombreuses espèces de baleines fréquentaient encore ce secteur riche et diversifié, il était plutôt rare d'observer des rorquals bleus dans cette région du golfe.

La biomasse du Saint-Laurent avait bougé et s'était transformée. Les changements climatiques étaient probablement responsables de ces modifications dans la répartition des courants et de la nourriture. Le Saint-Laurent formait un écosystème marin dynamique, et la majorité des grands bassins océaniques de la planète subissaient les bouleversements du climat. Devant ces transformations rapides, les scientifiques devaient continuellement valider leurs connaissances pour tenter de mieux comprendre les changements en cours.

Ce n'est qu'à l'automne suivant que nous avons enfin trouvé les baleines bleues. Cette fois, elles étaient là, et en grand nombre, au large des côtes gaspésiennes, et il m'est arrivé d'en compter jusqu'à une quarantaine, concentrées dans un territoire situé entre les villages de L'Anse-à-Valleau et de Petite-Vallée. Les souffles puissants s'élevaient les uns après les autres contre les chaudes couleurs de fin de jour et jamais le Saint-Laurent n'avait été aussi beau. Cette concentration étonnante de rorquals bleus était une bonne nouvelle pour Richard, qui allait enfin pouvoir tenter de fixer une balise satellite sur un des animaux.

La technique était au point depuis longtemps, et l'équipe savait se faufiler tout en douceur à quelques mètres à peine de l'animal visé. L'approche devait être

parfaite, et Richard ne tirerait que s'il était certain d'atteindre la petite zone située sous la nageoire dorsale. Il a visé juste et les crochets métalliques ont pénétré facilement la peau de l'animal, qui n'a pas réagi, tellement la couche de graisse est épaisse à cet endroit. Des cris de joie ont jailli dans le bateau pneumatique. L'émetteur était parfaitement positionné et il ne restait plus qu'à espérer qu'il tiendrait en place assez longtemps pour révéler des indices importants sur les routes migratoires empruntées.

L'équipe de Véronique avait aussi réussi à installer les précieux émetteurs sur quelques rorquals bleus dans le secteur de l'estuaire. En tout, durant l'ensemble de ce projet à long terme, une vingtaine de baleines bleues avaient été équipées de balises, mais les données recueillies ne permettaient toujours pas de connaître leur destination quand elles quittaient le Saint-Laurent. La durée de vie de ces petits dispositifs était souvent décevante. Ils étaient probablement rejetés de façon naturelle par l'organisme, comme le corps se débarrasse d'une écharde après un certain temps. Les chercheurs auraient pu opter pour un système d'ancrage plus acéré et pénétrant, mais les risques de blesser les animaux avaient été jugés trop importants.

Le rêve de Richard était toutefois accessible, plus que jamais. Nous pouvons dire « mission accomplie » !

Ce rêve allait se réaliser, du moins en partie, quelques mois plus tard. Parmi la vingtaine d'émetteurs déployés, deux ont résisté au temps et ils ont permis de connaître ce qui pourrait bien être les premières routes migratoires des baleines bleues du Saint-Laurent. Deux femelles ont rejoint un territoire situé au large de la côte est américaine et au nord des Bermudes en hiver. Il faudra bien sûr d'autres indices et encore plus de recherche, mais l'effort collectif des scientifiques avait permis la réalisation d'une grande première !

IL FALLAIT RESSENTIR TOUTE LA PUISSANCE DU SOUFFLE DU LÉVIATHAN QUAND IL BRISAIT LA SURFACE DE L'EAU À QUELQUES MÈTRES DE VOUS, QU'IL VOUS ASPERGEAIT LE VISAGE DE SON CRACHIN SALÉ ET QU'IL ARQUAIT SON DOS INTERMINABLE, TELLE UNE ÎLE, AVANT DE LEVER SA LARGE QUEUE VERS LE CIEL.

L'exploitation des ressources

Le Saint-Laurent nous semblait plus vaste et imposant depuis que nous l'avions quadrillé avec nos routes de dénombrement des espèces, mais il nous apparaissait encore plus beau, unique, exceptionnel et surtout fragile. Les pêches abondantes des dernières décennies étaient maintenant chose du passé et l'industrie avait changé. Aux îles de la Madeleine, nous avons suivi les homardiers, infatigables travailleurs et fiers défenseurs de la mer, qui réussissaient, année après année, à vivre des produits de la pêche, comme l'avaient fait avant eux les générations précédentes. L'inquiétude était pourtant bien présente dans les chaumières colorées de ces îles aux vents. Ces enfants de la mer devaient aujourd'hui limiter leurs campagnes de pêche à neuf petites semaines par année ! Il fallait bien sûr protéger la ressource, mais où étaient passés les morues, les sébastes, et surtout le maquereau et le hareng qui abondaient dans ces îles, il y a quelques années encore ? Quand je voyais les homardiers appâter leur cage avec du maquereau et de la plie importés du Japon, payés 1,05 $ la livre, il m'était difficile de demeurer optimiste pour demain. Les pêcheurs avaient bien sûr leur part de responsabilité dans l'effondrement des stocks de poissons et ils l'avouaient candidement. Ils affirmaient toutefois avoir appris du passé et étaient prêts à faire les choses autrement. Les homardiers avaient eux-mêmes accepté de réduire la pression sur la ressource avec des mesures de contingentement efficaces, qui paraissaient satisfaire tout le monde, y compris les populations de homards qui se portaient bien. La pêche au crabe semblait aussi se tirer d'affaire avec des prises annuelles importantes et des quotas imposés qui protégeaient la ressource. Le homard et le crabe sont des charognards qui profitent de la mort des autres habitants des océans pour proliférer. Je me suis souvent demandé si leur abondance relative représentait une bonne ou une mauvaise nouvelle.

Les pêcheurs demeuraient convaincus que les stocks de poissons étaient de retour en grand nombre et qu'il fallait rouvrir la pêche aux espèces comme la morue et le sébaste. Ils insistaient sur l'abondance nouvelle de certaines espèces, comme le flétan. Ce poisson à la chair tendre et délicate se vendait à fort prix sur les étals, mais la réglementation actuelle limitait son exploitation. Sa pêche ne durait que quelques heures par année dans certains secteurs, comme aux îles de la Madeleine, ce qui soulevait une certaine colère.

Pour le moment, les pêcheurs du Saint-Laurent devaient suivre les règles imposées et faire preuve de patience avant de reprendre leurs activités. Les grandes espèces ne semblaient pas effectuer un retour en nombre suffisant pour permettre une exploitation à large échelle. C'était du moins l'avis des scientifiques, que ne partageaient pas les pêcheurs, impatients d'exercer le seul métier qu'ils connaissent et chérissent plus que tout. Ils craignaient que l'expertise ne se perde si l'on ne formait pas la relève, de jeunes pêcheurs qui passaient maintenant plus de temps au quai qu'au large.

J'entendais leurs préoccupations et leur plaidoyer pour une réouverture de la pêche aux poissons de fond, mais je me souvenais aussi de ces années de surpêche, celles qui avaient provoqué l'effondrement des stocks. Nous n'avions pas été en mesure de protéger la ressource il y a quelques décennies à peine, alors étions-nous suffisamment responsables aujourd'hui pour renvoyer les pêcheurs au large ? Est-ce que les grandes espèces n'avaient pas besoin d'encore plus de temps pour renouveler leurs populations ? Avions-nous tiré suffisamment de leçons de l'histoire, et la

science avait-elle en main toutes les informations pour rendre une décision éclairée dans ce dossier complexe ? Bien des questions, mais très peu d'évidences et de consensus dans les réponses qui allaient déterminer l'avenir du Saint-Laurent. Il n'y avait qu'une vérité, une certitude absolue : l'écosystème du Saint-Laurent avait changé, et il demeurait fragile.

Si les principes de prévention semblaient aujourd'hui guider les dirigeants dans le domaine des pêcheries, il ne semblait pas y avoir le même désir de protection dans le dossier brûlant de l'exploitation des ressources pétrolières et gazières du Saint-Laurent, une menace nouvelle qui inquiétait considérablement pêcheurs, riverains, écologistes et amoureux du grand fleuve. Depuis quelques années, le pétrole et le gaz s'étaient invités à la table des décideurs, qui semblaient en boire et en respirer jusqu'à halluciner des scénarios de mauvais films aux conclusions à l'eau de rose. Le mot « fin » au dernier plan de cette projection de l'esprit n'avait pas la même signification pour tout le monde. Certains y voyaient la fin de notre dépendance au pétrole provenant des pays étrangers et surtout une solution miracle à tous nos problèmes économiques, alors que d'autres pressentaient une fin catastrophique si la mise en œuvre de ce drame tragique se réalisait.

Les lobbyistes de l'industrie pétrolière avaient fait fort. Ils avaient réussi à convaincre le gouvernement de l'époque que des dizaines de milliards de dollars dormaient dans le sol d'une île loin au large, Anticosti, la plus belle de toutes, et qu'il suffisait de percer son sous-sol pour cueillir la manne qui allait nous guérir de tous les maux. Le plan d'affaires avait toutefois ses failles. On évitait, par exemple, de chiffrer le coût astronomique des infrastructures à mettre en place pour sortir le présumé or noir. Avec notre petit voilier au tirant d'eau ridicule en comparaison des navires

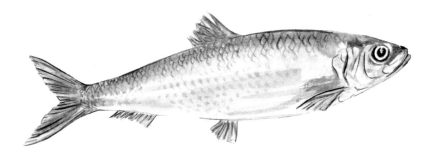

pétroliers à lourde charge, il fallait attendre la bonne marée pour oser une manœuvre vers le quai désuet de Port-Menier, le seul village de l'île. L'exploitation des prétendues ressources de pétrole ou de gaz de schiste — on ne savait plus trop si c'était l'un ou l'autre après certaines études contradictoires — allait exiger la construction d'un nouveau port dans cette région isolée où tout devait être importé, une opération qui allait coûter quelques milliards, et dont une grande partie serait assumée par les contribuables, mais qui n'apparaissait pas dans la colonne des dépenses prévues. Il fallait cacher ces détails pour mieux vendre rapidement le projet aux Québécois, qui allaient n'y voir que du feu. Cette flambée d'optimisme précipité était attisée par les flatulences gazières dissimulées en cette terre maritime fragile, les mêmes qui avaient été étudiées par certains grands joueurs de l'industrie, comme la compagnie pétrolière Shell qui avait même réalisé des forages dans les années 1990. L'opération avait été un échec et, malgré d'autres investissements de nos gouvernements au cours des années suivantes, tous avaient abandonné l'idée d'exploiter le sous-sol de l'île. Les plus grands spécialistes en pétrole avaient dit non, ce qui aurait dû susciter un doute sur la faisabilité du projet, mais nous allions dire oui, en acceptant l'offre d'association avec de nouveaux chercheurs d'or noir sans réelle expérience. Tous salivaient devant le présumé magot enfoui : 40 milliards de barils !

Une première ministre en exercice et un ancien premier ministre, partisan de l'industrie pétrolière et gazière, allaient jouer l'avenir du Saint-Laurent au nom de tout un peuple, derrière des portes closes. Le gouvernement au discours progressiste et porté au pouvoir par des promesses d'économie nouvelle, basée sur des énergies propres et renouvelables, venait de ratifier une entente qui le rendait copropriétaire d'une entreprise d'exploration et d'exploitation pétrolière. Le sale pétrole que l'on avait tant condamné en campagne électorale était redevenu propre, puisqu'il allait nettoyer l'ardoise de nos déficits.

On a volontairement orienté la grande annonce d'investissement vers le patriotisme national en signalant la réappropriation d'un territoire vendu au rabais par un gouvernement précédent. On tentait ainsi de draper le projet dans le suaire flétri d'une recherche d'indépendance, territoriale ou énergétique, cela n'avait plus trop d'importance, tant qu'on utilisait le mot. Il fallait bien trouver des arguments pour justifier la ratification d'une entente, paraphée en cachette et qui, en une seule signature, souillait à l'encre noire comme le pétrole les promesses de renonciation rapide et planifiée de l'ère des hydrocarbures. Il n'a fallu qu'une rencontre entre deux décideurs, l'une affichée, l'autre cachée, pour que le mirage de l'argent réussisse à changer — ou à révéler — le discours et les convictions des réels représentants du pouvoir. Les ministres des Ressources naturelles et de l'Environnement n'avaient même pas été consultés, et ils ont appris les détails de l'entente juste avant d'entrer en scène pour la grande annonce publique, faite juste après la fermeture des marchés. Le train était lancé et il fallait embarquer. Merci de contresigner en bas de page, Madame la Ministre, on s'occupera des détails et des études d'évaluation environnementale plus tard.

Les victimes furent nombreuses, à commencer par les habitants d'Anticosti, divisés sur les perspectives de ce virage politique soudain. L'île n'avait jamais été une priorité pour les gouvernements, et les résidants avaient été laissés à l'abandon depuis longtemps. Il faut dire qu'avec une superficie de 7 943 kilomètres carrés pour moins de 250 habitants, ils ne représentaient que bien peu de voix pour les aspirants au pouvoir. Si une loi spéciale avait permis aux 150 000 à 175 000 cerfs de Virginie d'apposer leurs sabots sur les bulletins de vote, l'histoire de l'île aurait sans doute été bien différente. Les dividendes du pouvoir se distribuent souvent en fonction de l'influence démographique des régions.

Lors de notre escale au pays des « chevreuils », nous avons pu ressentir le déchirement de la population entre la sempiternelle promesse de création d'emplois et le désir de conserver les ressources exceptionnelles. Si les 115 millions promis à l'industrie pétrolière avaient plutôt été investis dans les trésors de l'île, véritable patrimoine mondial de l'humanité, nous aurions tous été les grands vainqueurs de cette action légitime de conservation du territoire, en commençant par ses occupants.

Je m'étais probablement trop concentré sur les affaires environnementales internationales, et je n'étais sans doute plus qu'un simple gérant d'estrade devant cette volte-face stupéfiante concernant les positions de nos dirigeants en matière énergétique. Mais la déception était grande, car l'économie venait de remporter une autre victoire sur l'environnement, chez moi, en bafouant les règles élémentaires de la démocratie qui auraient exigé, au minimum, une consultation populaire. Je ne naviguais pourtant plus au large d'un de ces pays en développement. J'étais de retour à la maison et j'avais une soif profonde de goûter aux mœurs des gens d'ici qui croyaient au développement durable de nos ressources, dans une approche globale et réfléchie qui évitait les contradictions fondamentales. Je n'étais absolument pas contre le développement, mais ce que j'observais et écoutais en ces premiers jours d'ici me rappelait trop ce que j'avais vu et entendu ailleurs. On servait les mêmes discours, les mêmes promesses et surtout les mêmes illusions de richesse pour tous. L'exploitation des ressources naturelles allait nous permettre de mieux vivre, d'être plus riches, d'augmenter notre pouvoir d'achat et, donc, elle allait nous rendre plus heureux. Je ne comprenais pas comment nous pouvions nous présenter sur la scène internationale avec des discours de leader de la lutte contre les changements politiques, et aller à l'encontre de la recommandation unanime des scientifiques qui affirmaient que l'humanité devait renoncer à exploiter une grande partie des ressources en combustible fossile pour espérer limiter le réchauffement planétaire en deçà de 2 °C. Que j'aurais aimé embarquer les décideurs sur notre bateau pour leur montrer l'urgence d'agir et les supplier de sauver ce qu'il restait de nous.

Nous avons sillonné la grande île pour nous gaver de ses vues stupéfiantes. Nous avons été émerveillés par ses rivières à saumon aux eaux cristallines, les plus belles de la planète ! Nous avons été soufflés par ses chutes et ses canyons impressionnants. Nous avons été séduits par ses phares historiques, ses falaises, ses grottes, ses lacs, ses fossiles et sa faune variée. Nous avons aussi été touchés par les habitants de cette île d'exception, au cœur gros comme les colosses de la baie de la Tour.

Vraiment, tout cela méritait plus qu'une apocryphe promesse de prospérité.

QUATRIÈME PARTIE

25 ans à parcourir la planète

LE BILAN

LE BILAN

Une certaine justice sociale

Après toutes ces années à parcourir le monde, une conclusion s'impose, implacable et troublante : le véritable enjeu de l'économie et de la mondialisation repose sur une plus grande justice sociale. Sans une conception renouvelée et métamorphosée de l'équité, l'économie, telle que nous la définissons aujourd'hui, n'aura point de salut.

Nous sommes partis pour chercher des réponses et des solutions aux grands enjeux environnementaux de la planète. Alors, qui sommes-nous pour donner des leçons en matière d'économie ? Pourtant, il suffit de s'ouvrir aux inégalités pour constater l'inéquation des ambitions et des illusions. Nous ne pourrons sauver le monde en ne cherchant les solutions que par la simple lorgnette de l'environnement. Nos missions, qui n'avaient rien d'économique au départ, se sont rapidement heurtées à l'écueil des différences entre les peuples.

Nous, les privilégiés, ne pourrons plus vivre en paix dans nos mondes d'illusions sans un partage plus équitable de la richesse. Et ce n'est pas en construisant plus de murs de la honte que nous réussirons à nous protéger des menaces de l'injustice sociale, car rien n'arrêtera les plus démunis dans leur quête de justice. Ils ont faim. Leurs enfants ont faim. Jusqu'où serions-nous prêts à aller pour nourrir nos enfants ? Jusqu'où serions-nous prêts à repousser les limites de nos actions pour les sauver de la misère ?

Dans nos sociétés modernes où l'information circule sans contrainte, où nos images d'abondance franchissent les frontières virtuelles d'un nouveau monde global, comment voulez-vous ne pas provoquer, ne pas susciter l'envie de ceux et celles qui n'ont rien ? Le désir s'installe, pour faire place à une certaine jalousie. Peu à peu, le mépris s'élève envers ces sociétés d'abondance.

Devant le gouffre toujours grandissant des inégalités, les victimes se regroupent, des leaders se lèvent et la haine trouve racine. Trop souvent, au nom d'un certain dieu, on interprète les textes sacrés pour mieux motiver la révolte et s'élever au-dessus des préceptes de sa religion. La véhémence croissante, nourrie par une injustice sociale démesurée, engendre alors la guerre.

Combien de pays défavorisés, d'escales embarrassantes, de scènes d'horreur, de réactions irascibles ai-je eu besoin d'accumuler pour me convaincre que rien n'allait plus dans ce modèle économique mondial

en déroute ? Combien de pays oubliés devons-nous laisser en plan, dans un silence complice, pour ne pas nous confronter au propre miroir de ce que nous sommes, de ce que nous avons créé ? Car accepter de regarder l'autre, c'est aussi poser un regard sur nous.

Nés du bon côté de la vie, nous refusons trop souvent d'affronter une certaine réalité, une injustice certaine. Sous le prétexte absurde que nous n'avons pas choisi ce que nous sommes, nous refusons trop souvent de voir ce qui se passe ailleurs. Parce que nous n'avons pas choisi notre lieu de naissance, nous refusons de porter un regard véritable sur ceux et celles que nous avons décidé d'ignorer. Que ce soit sur une île isolée du reste du monde, ou au large d'une Afrique à l'avenir sombre, la comparaison fait mal. Elle rassure peut-être certains, qui se croient simplement chanceux et privilégiés. Mais elle en perturbe aussi beaucoup d'autres, qui se demandent pourquoi nous acceptons aussi aisément l'iniquité et l'injustice sociale. Aujourd'hui, plus que jamais, j'en suis. Aujourd'hui, marqué par tous ces sourires d'enfants de la rue, je me questionne sur la vie, mes inconforts, mes trop nombreux paradoxes et mes sempiternels remords de n'être que ce que je suis.

Je demeure complètement démuni devant la fatalité désarmante et déchirante des enfants. Comment ne pas être ému par ces gamins aux pieds nus qui ne vous demandent qu'un peu de charité ? Et comment, par la même occasion, ne pas porter un regard intérieur sur ce que nous sommes devenus ? Comment ne pas nous comparer pour mieux apprécier notre sort, dans la honte et le silence, sous le simple prétexte que nous sommes nés du bon côté de la vie ?

Quand le regard de la maigreur s'exprime à travers l'enfant, comme une longue lame tranchante qui vient vous arracher une partie du cœur, vous maudissez presque cette impuissance, nourrie par les remords qui vous rongent et vous ravagent en silence. Ce cancer de l'âme ne disparaîtra pas, même une fois les voiles levées. Il demeurera, à tout jamais, comme un funeste miroir de ce que nous sommes.

Souvent, je me questionne sur les raisons véritables de ces injustices sociales, sur ces différences injustifiables entre les peuples. D'escale en escale, j'ai vu des enfants de toutes les nationalités me jeter le même regard envieux. Ils ne connaissent rien de moi. Ils ne savent pas si je suis heureux. Et pourtant, dans leur regard, je sens ce désir d'intervertir les rôles, pour prendre un peu de ma vie, sans même savoir. Car, pour eux, rien ne peut être pire que le quotidien, quand chaque jour attire sa peine et qu'il faut trouver de quoi calmer l'appétit. Manger, tout simplement. Boire, tout naturellement, une eau qui ne tuera pas. Des besoins si élémentaires.

Combien de courts moments de communion entre moi et un enfant au regard triste et suppliant, qui savait pertinemment qu'il n'obtiendrait rien ou presque de moi ? Pourtant, ses yeux sincères semblaient ne rechercher que de l'espoir dans les miens.

Nous avons échangé des regards et des sourires, puis je suis parti. Je ne suis même pas certain d'avoir laissé derrière moi ce que cet enfant m'avait simplement demandé : un peu d'espoir dans les yeux ou même un mirage de possibilités pour demain. Car devant la triste réalité du monde, souvent, trop souvent, on baisse les yeux pour ne pas trop voir...

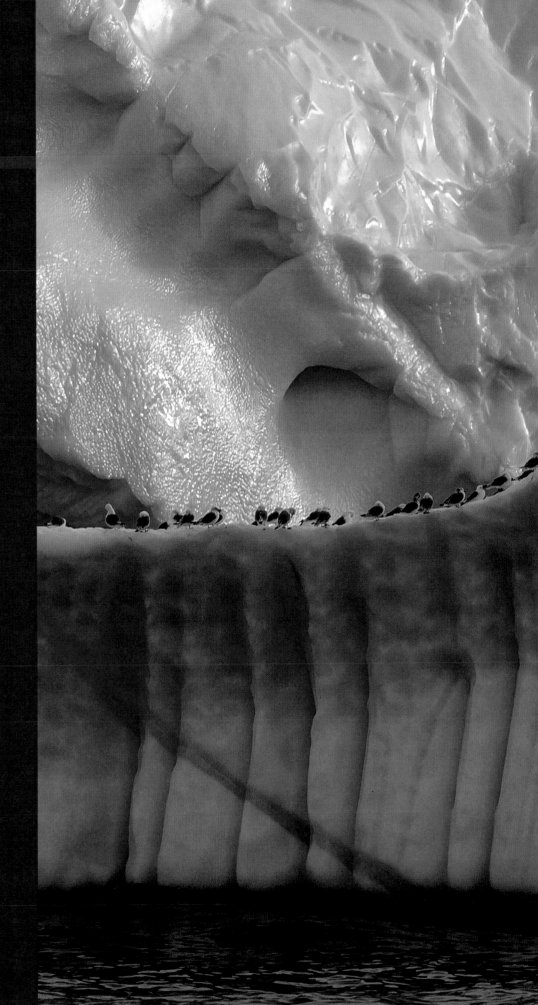

La justice climatique

La lutte contre les changements climatiques constitue probablement l'un des plus grands défis auxquels nous aurons à faire face au cours des prochaines décennies. Partout sur la planète, les preuves du réchauffement s'accumulent, et les solutions pour enrayer la fièvre mondiale passent inévitablement par une diminution importante de nos rejets de gaz à effet de serre. Mais la prévention et l'amélioration de nos bilans en matière de CO_2 ne suffiront pas. Nous devrons aussi prévoir des mécanismes d'adaptation efficaces pour lutter contre les conséquences néfastes de toutes ces années d'insouciance.

Le constat est éloquent : nous ne pourrons faire face au plus grand défi de l'humanité sans l'engagement de tous les citoyens du monde. La tâche à accomplir est titanesque, trop colossale pour s'en remettre à une minorité de bien-pensants. Pour résoudre la problématique des changements climatiques, l'humanité doit donner un sérieux coup de barre et redresser la trajectoire de ses habitudes de consommation. Le bilan de décennies d'indifférence a provoqué une accumulation boulimique des gaz à effet de serre qui planent au-dessus de nos têtes, comme un péril invisible et insidieux qui menace la vie sur cette planète. Devant pareil constat, nous, les riches de ce monde, pourtant responsables de cette facture à régler au nom des générations futures, nous nous tournons vers les plus démunis, les pays pauvres, pour les implorer de faire des efforts.

Pour une rare fois, nous appelons à une solidarité mondiale pour résoudre un problème que notre seul argent n'arrivera pas à régler. Subitement, comme par magie, nous accordons une importance à ces pays jusqu'alors oubliés. Sous de beaux discours de solidarité humaine, nous nous efforçons de les convaincre qu'ils doivent participer, apporter leur contribution. Même si nous les avons volontairement restreints dans leur propre croissance, aujourd'hui, nous avons

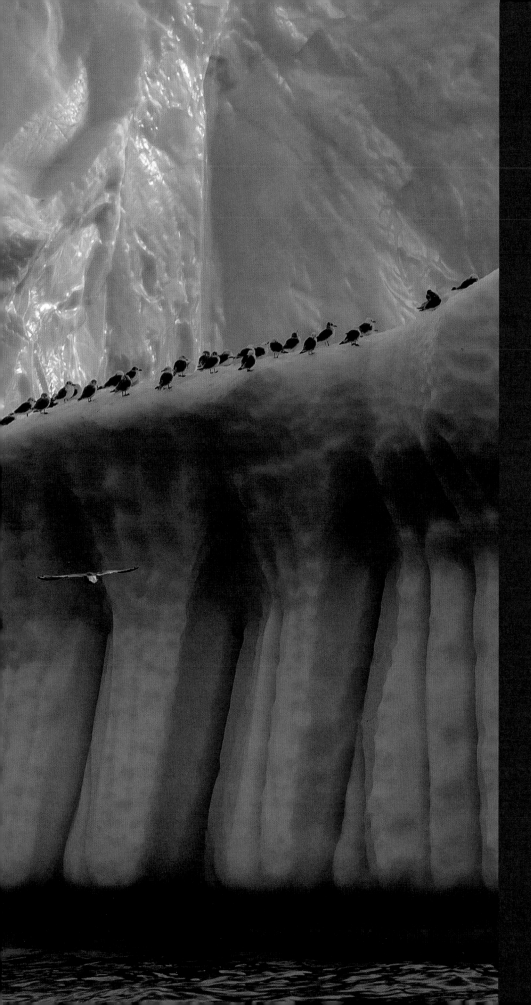

besoin d'eux, les pauvres de ce monde, pour payer une partie de la dette que nous devons acquitter à la planète. Ils n'ont presque pas contribué à cette situation qui menace notre qualité de vie et appelle à une diminution de notre consommation, mais il n'est surtout pas question qu'ils puissent profiter des petits luxes qui ont rendu cette situation jugée aujourd'hui inacceptable. Vous ne voudriez tout de même pas qu'une majorité de Chinois, d'Indiens ou d'Africains se promènent en voiture ! Ou pire, qu'ils consomment de la viande !

Il est vrai que l'enrichissement de certains pays en voie de développement risque de faire gonfler le bilan des gaz à effet de serre de manière spectaculaire, surtout depuis qu'une classe moyenne grandissante se développe chez les plus démunis. Mais n'est-il pas de notre responsabilité de les aider, de les accompagner, financièrement et technologiquement, dans l'établissement de nouvelles politiques, basées sur des énergies propres et renouvelables ? Ces pays offrent une formidable occasion de mieux repenser l'avenir et de développer l'avenir énergétique qui tarde à s'implanter.

Qui sommes-nous pour exiger des autres ce que nous n'arrivons pas à faire nous-mêmes ? Dans ce grand combat qui définira nos sociétés de demain, la solidarité humaine devrait s'élever au-dessus de tout, pour embrasser une cause noble et commune qui déterminera l'avenir de nos enfants et de nos petits-enfants. Quel sera le legs véritable de nos sociétés d'abus si nous ne remportons pas ce défi vital qui touche tous les humains de la planète, du milliardaire au père de famille qui fouille les poubelles pour trouver de quoi nourrir ses enfants ? Plus que jamais, il faut repenser nos notions de partage avec tous les habitants de cette terre empruntée et développer cette notion fondamentale et vitale de simples citoyens du monde.

Il n'y aura pas de justice sociale sans justice climatique. Et il n'y aura pas de victoire contre les changements climatiques sans l'apport de tout un chacun.

Une conscience au service de la nature

L'évolution et le développement de notre conscience ont su nous élever au plus haut rang de la grande chaîne de la vie. Paradoxalement, c'est cette même conscience qui nous amène à évaluer nos actes. Or, pour diminuer le poids moral de notre jugement, nous avons développé toute une série de comportements socialement acceptables qui nous donnent bonne conscience. C'est le propre de l'intelligence : savoir jouer avec les situations et ses analyses pour créer un argumentaire confortable et conciliant, pour justifier les moyens de ses ambitions.

Nous sommes des enfants du changement. Nous devons poursuivre la transformation de notre vision pour réussir à étirer le regard vers demain, pour assurer un meilleur équilibre dans nos existences, pour redécouvrir nos liens avec la nature et investir dans un avenir rempli de promesses et de respect de la vie, sous toutes ses formes.

Pour contrer l'ignorance et l'insouciance, il faut conscientiser, éduquer, montrer et expliquer la fragilité. L'accessibilité universelle des médias sociaux a créé un monde sans frontières, où les informations circulent librement entre les individus, d'un pays à un autre. Ainsi, on peut se réjouir du fait que les enfants connaissent aujourd'hui la problématique de la déforestation en Amazonie mais, en même temps, quelle est la valeur réelle de cette information internationalement partagée si elle n'entraîne pas l'action locale ? Ces enfants devraient aussi s'intéresser au sort réservé au boisé de leur arrondissement et s'en indigner. Trop souvent, la revendication prend des allures de combats symboliques mondiaux, qui soulèvent

pour un temps les hauts cris sur les réseaux sociaux, sans pour autant engendrer l'action concrète. Il faudra plus qu'un nombre record de « J'aime » pour changer le monde...

Étonnamment, la rupture avec la nature a provoqué un réel engouement pour cette même nature, mais la théorie l'emporte aujourd'hui sur la pratique. On revendique la sauvegarde des forêts, la protection des cours d'eau, la diminution des émissions de gaz à effet de serre et l'on se sent faussement participant à cette vague de changement sous prétexte que l'on recycle et que l'on ferme le robinet en se brossant les dents. Il faut faire plus. Beaucoup plus. Maintenant que nous connaissons les enjeux pour demain, nous devons reconnaître, humblement, que nous ne sommes qu'une composante importante dans la grande chaîne de la vie, où tout est relié.

Les peuples autochtones de toutes les régions du monde parlent, chacun à leur façon, de cette notion d'interdépendance avec la nature. Ils ont compris que nous ne sommes qu'une fraction d'un tout, qu'un élément d'une communauté de vies, qu'une parcelle parmi la multitude d'organismes qui nous ressemblent, et dont la provenance est commune. C'est pourquoi les peuples autochtones accordent une si grande importance à la nature. Ils savent que les menaces qui planent sur un environnement sont aussi des dangers pour eux et pour toutes les composantes de la vie.

La diversité biologique et, encore plus son déclin, devraient marquer les voies du futur, réconcilier les pensées écologiques et économiques, car personne n'est assez bête — ou assez affamé de richesses personnelles — pour souhaiter la disparition d'espèces vivantes. Peut-être fallait-il nous pousser nous-mêmes au seuil du précipice pour constater toute l'étendue de notre insouciance ? Malgré une rupture toujours grandissante entre l'humain et la nature, l'espoir pourrait bien renaître dans la simple reconnaissance de la beauté.

Il est de notre devoir, durant cette période de changement et de transition des valeurs sociétales, de remettre à l'avant-plan la beauté de la nature, la préciosité de la vie et sa fragilité. Toute personne sensée ne peut souhaiter la disparition de la vie. Il faut communiquer cette beauté, la montrer, continuer à répandre les cris d'alarme de la plante, du poisson, du mammifère ou de l'oiseau. Souvent, le simple gazouillis mélodieux de l'oiseau parvient à toucher les âmes mieux que les vertes semonces revendicatrices. Parfois, pour certains, le chant de la nature s'élève bien au-dessus des cris de protestation et permet d'amorcer l'essentielle réflexion qui portera l'espoir vers demain. Il n'y a pas une seule méthode, pas un unique moyen de convaincre de l'urgence d'agir. La somme des intentions et des engagements devra mener à la plus grande mobilisation des peuples du monde. Et la nature, dans toute sa beauté et sa fragilité, devra

réconcilier les esprits écologistes et économistes. Il n'y a pas les bons et les méchants. Il n'y aura que des victimes.

Il faut espérer que le non-respect de la vie ne sera plus accepté et acceptable, et que les valeurs nouvelles de nos sociétés ne puiseront pas à nos erreurs passées. La mise en place d'un mouvement sociétal plus respectueux de l'environnement et d'une certaine justice sociale représente sans doute les balbutiements d'une société nouvelle. La gouvernance n'aura d'autre choix que de s'inspirer de ces valeurs modernes, faute de quoi elle ne survivra pas.

Nous devons reconnaître les résultats phénoménaux des mouvements écologistes au cours des dernières décennies. Certains peuvent reprocher des méthodes, parfois radicales ou discutables, pour éveiller les consciences du peuple mais, malgré les maladresses et les erreurs de parcours, l'histoire se souviendra de la victoire du courant de pensée écologique et de son influence sur le pouvoir comme un tournant dans l'évolution de nos sociétés. Si elle parvient à s'incruster profondément au cœur des masses, la pensée écologique modérée, conciliante et inclusive insufflera ce vent de changement essentiel tant souhaité.

En cette période de transition, il ne faut pas croire que la diffusion progressive des valeurs nouvelles dans nos sociétés constituera LA solution aux problèmes de la planète à court terme, mais elle permettra de ralentir le processus de destruction actuel et donnera le temps nécessaire pour que s'installe, de façon permanente, ce changement salutaire des mentalités de nos sociétés. Notre jeunesse, qui sera au pouvoir demain, saura tirer les leçons du passé et assumera ses responsabilités pour l'avenir de la vie. Il faut espérer que cette génération pourra instaurer les principes fondamentaux du développement durable dans ses décisions et que cette attitude novatrice changera pour toujours le pouvoir politique et économique sur la planète en attribuant aux services écologiques la valeur réelle qui leur revient. Cette aspiration nouvelle, menée par le désir des jeunes générations, demeure la plus grande source d'espoir pour demain.

Nous n'avons peut-être pas été très bons pour léguer aux générations futures une planète en santé, mais peut-être avons-nous réussi à inculquer aux jeunes décideurs en devenir les valeurs essentielles de respect qui assureront une meilleure cohabitation entre les humains et les autres formes de vie qui partagent cette unique planète. L'espoir est véritable et il appartient à ceux et à celles qui entretiennent et nourrissent les actions authentiques qui mènent au changement. Si la tendance se maintient et que perdure ce désir commun de protéger la vie, nos enfants pourront savourer les fruits de nos maigres semences, quelques graines de conscience profondément enfouies dans les entrailles d'une Terre nouvelle, semées de mains d'homme, au gré d'un vent de changement et d'espoir qui souffle pour les générations futures.

L'odyssée des illusions

Nous avons passé une bonne partie de nos vies à chercher des réponses aux problèmes environnementaux de la planète. Les questions sont toujours aussi nombreuses et les solutions réelles, si elles existent, se font attendre. Il est difficile de demeurer indifférents devant tant d'injustice et de corruption dans certains pays où la pourriture s'est enracinée de manière profonde et insidieuse dans les mœurs de dirigeants sans scrupules. Quand les intérêts économiques personnels de certains dictent les façons de faire de tout un pays, comment voulez-vous espérer l'établissement de politiques basées sur le bien commun ? Les souvenirs s'accumulent, comme des témoignages incriminants de ce que nous pouvons devenir au nom de la puissance et de l'argent. Malheureusement, les conséquences de ces comportements abusifs ne touchent pas qu'une minorité. Les victimes sont nombreuses, désarmées devant tant de destruction qui mène au trépas des faibles, tragique destin des vulnérables laissés dans l'oubli.

Car il faut se l'avouer, pour plusieurs espèces, la partie est déjà jouée, et leurs chances de survie sont minces. L'impuissance devant une situation environnementale désastreuse risque d'entacher à tout jamais les souvenirs de cette mission. Malgré un désir réel de transmettre des messages positifs, l'optimisme devient peut-être utopique quand les escales se succèdent et que rien, ou très peu, ne vous laisse le droit de rêver. Comment chasser de son esprit toutes ces images de génocides de la nature qui se répètent à chaque détour de la vie ? Comment ne pas être profondément affecté par tant de tueries, d'injustices, d'existences sacrifiées au nom du profit et de la simple aliénation humaine ? Que faire de ces barbaries qui nous

hantent, comme la cruelle histoire de cette femelle orang-outang rasée, maquillée, costumée et parfumée, que l'on offrait aux détraqués sexuels qui prenaient un malin plaisir à violer la vie dans les chambres closes d'un bordel populaire ! Rarement ai-je ressenti autant de honte d'appartenir génétiquement à ce lignage d'humains dérangés. La déviance et la perversité s'expriment ici dans la plus profonde calamité des genres. Devant l'opposition soutenue de ces fidèles clients, prêts à tout pour conserver leurs droits de souiller la vie, il aura fallu l'intervention musclée d'une trentaine de policiers armés pour libérer cette pauvre femelle sans défense. Parfois, le spectacle de l'humanité se contemple avec les larmes au cœur, comme une douche froide sur les feux de l'espoir que vous tentez de communiquer au reste du monde.

Faut-il garder le silence ou dénoncer ? Jusqu'où devons-nous aller pour raconter, montrer, témoigner ? On peut bien sûr se consoler en parlant d'exceptions, d'erreurs de parcours dans nos histoires d'humanité. Mais quand le constat général tend à se dégrader plutôt qu'à s'améliorer, que reste-t-il de notre capacité à transmettre l'espérance, étouffée par les derniers souffles d'une vie en déclin ?

Nous pourrions nous contenter de rapporter les faits et de dénoncer la catastrophe en cours. Envoyer quelques dollars aux ONG pour avoir bonne conscience, mais les coulisses de cette apparence de pouvoir donnent aussi parfois la nausée. Les solutions proposées sont trop souvent diluées par la diplomatie internationale. C'est ainsi qu'on accepte la mort en direct qui se poursuit dans les forêts et les océans. J'irais même jusqu'à dire que certaines ONG, les plus connues, celles qui recueillent les dons à coup de centaines de millions, ne sont pas prêtes à investir pour réellement sauver ces animaux et ces habitats exceptionnels. La mort en direct constitue une formi-

dable source de revenus, et les salaires de certains dirigeants d'ONG font honte à la profession de biologiste. Une autre illusion balayée, une autre indignation à dénoncer. Heureusement, quelques scientifiques se lèvent et s'opposent à tout cela. Ils n'ont pas la tâche facile et sont souvent réduits au silence, mais leurs combats sauvent des vies quotidiennement. Voilà où nous devrions investir !

L'espoir est un ingrédient du bonheur, mais il se fait rare dans les recettes pour garantir l'avenir de cette nature qui souffre en silence.

CONCLUSION

L'idée de mettre en mots ce recueil des missions est venue d'une question, toute simple, posée un jour par la recherchiste d'une émission de télévision. Sans trop saisir la portée réelle de ses propos, elle m'a demandé : « Et si tout cela était à recommencer ? » J'ai réfléchi, longuement, revisité rapidement les grandes missions, compilé le prix de tous ces efforts, regardé ce qui restait de moi après toutes ces années et j'ai osé un bilan, pour la première fois de ma vie. Face à moi-même, avec franchise et sincérité, j'ai osé m'avouer cette réponse pourtant claire et limpide, comme une évidence, une certitude : non, jamais !

Il y a bien sûr eu des moments de pure euphorie, des moments de bonheur indescriptible, des avancées scientifiques étonnantes réalisées durant nos aventures en mers étrangères et des moments de pure joie, quand vous avez le sentiment que les petites victoires de vos missions font vraiment progresser une cause à laquelle vous croyez plus que tout. Mais il y a aussi un fort prix à payer pour n'être qu'un pourvoyeur de rêves et d'illusions, quand tout, absolument tout ce que vous possédez a été sacrifié pour cette cause, pour cette mission peut-être trop ambitieuse pour vous. Je ne parle pas de biens matériels ou d'argent même si, de fait, tout a été englouti dans cette belle folie des grandeurs. Je parle surtout de tout ce qui est précieux à l'homme et qui a été sacrifié sur l'autel des dévotions, insoutenables offrandes injustifiées pour celui qui n'a pas su doser adéquatement son énergie pour reconnaître et sauver l'essentiel : la famille et les racines. Rien ne peut remplacer la famille. Rien. Combien de fois ai-je revu dans ma tête et dans mon cœur

l'enfant chéri s'élancer vers moi à chaque retour d'escale, avec une dose d'amour qu'aucun rêve de réussite ne saura égaler ? Combien d'histoires inventées à raconter avant le dodo, de jeux partagés, de confidences et de purs moments de bonheur devant cette petite boule d'amour inconditionnel ? Alors, que reste-t-il de si précieux quand vous tentez en vain l'ultime retour à la maison ? Quand les missions, et peut-être même les sempiternelles réflexions qui occupent trop d'espace dans votre esprit vagabond, ont réussi à chasser de votre vie de ce que vous aviez de plus précieux ?

Non, si tout cela était à refaire, je ne serais pas le porteur d'espoir créé par des médias en recherche de modèles qui doivent impérativement être plus grands que nature. À force de départs et d'escales, devant le constat implacable d'un environnement sacrifié au nom de la croissance économique, j'ai réussi à transformer le rêve en illusion, triste bilan pour celui qui ambitionnait de sensibiliser le monde jusqu'à engendrer le changement. Au fil des jours, des mois, des années, l'indifférence de l'humanité s'est faufilée dans les entrailles intérieures pour rejoindre mon âme en peine, et le grand pèlerinage des espoirs s'est transformé en odyssée des illusions. Si la perte de racines fragilise l'être devant la tempête, la capitulation de ses propres rêves souffle la lueur qui enflammait pourtant toutes les passions.

J'aime la vie et rien ne me touche autant que la nature, dans toute sa splendeur, son équilibre et sa force silencieuse. D'un tempérament optimiste, j'aurais voulu un livre à la conclusion belle et porteuse d'espoir. Je désirais tellement être un prophète de bonheur, une preuve tangible que tout est en voie de s'améliorer. Mais j'ai un devoir de vérité. La mienne, qui, je le souhaite, sera balayée par un vent de changement.

Si la simple beauté du monde et l'engagement des jeunes pour demain constituent de formidables baumes d'espoir, le grand bilan de cette odyssée demeure parfois sombre et pessimiste. Je tiens à m'en excuser, sincèrement. Car après toutes ces années, après avoir pu constater l'ampleur de la tâche à accomplir et comparé les niveaux de réformes des différents pays, je sais aujourd'hui que le rêve fou de changer le monde ne se produira pas. Que la terre nouvelle convoitée, améliorée, nourrie par le désir réel de l'humanité de faire le grand ménage de sa maison, n'arrivera pas avant le crépuscule de mes jours. Que les efforts de sensibilisation de tous les artisans du changement n'auront pas réussi à percer la forteresse économique et politique des dirigeants de cette planète. Que nos petites victoires pour préserver la simple beauté du monde ne sont que de minuscules diachylons appliqués sur une nature meurtrie, blessée, mutilée, estropiée, battue et écorchée par nos mauvais traitements.

L'espoir est un ingrédient du bonheur, mais il se fait rare dans les recettes pour garantir l'avenir de cette nature qui souffre en silence.

Il y aura nos mots et nos images, une goutte d'eau dans un océan d'indifférence et d'insouciance. Puissent-ils toucher les générations futures, pour qu'un réel vent de changement souffle sur demain, et que l'espoir renaisse enfin dans le cœur et les âmes de ceux et celles qui y croient encore.